ものづくり日本の海外戦略

関税と移転価格の波にもまれ

村田守弘
石川敏夫
柴田　篤
［著］

千倉書房

装丁／本文デザイン　江口浩一
イラスト　のむらみみ

はじめに

21世紀に入ってから、日本企業、特に製造業を取り巻く事業環境は、急速に変わってきています。ものづくりを日本で行い、その製品を国内で販売する限り、成熟化が進む日本での事業拡大が非常に厳しいことは明らかです。ものづくりを日本で行い、その製品を台頭著しい新興国市場に輸出することができれば、事業拡大は達成できます。しかし、グローバル化した現在の金融市場の下では、リーマンショック、ギリシャの財政破綻は、直接、円相場の変動に直結します。昨今の急速な円高は、ものづくりは海外で行い、その製品を輸入するという事業の転換を促すでしょう。このような事業環境での生き残りのためには、規模の大小を問わず、海外がらみの事業展開が必要となるでしょう。

経営者、特に中小企業の経営者のみなさまは、生き残りのための事業戦略の策定に心血を注いでいることでしょう。しかし、ものづくり経営は、ものづくりのためのコスト管理を重視しますが、付随するコストの管理を軽視する傾向があります。海外がらみの事業戦略の策定にあたって大事なことは、付随する事業コストの管理です。付随する事業コストの内、留意すべき事業コストは、移転価格税制と関税です。この本では、中小企業の経営者のみなさまに認識して欲しい移転価格税制と関税のポイントをケーススタディの形をとってまとめています。

第1章「ものづくりは現場が大事！　海外展開では、それがすべてではない！」は、グローバル化に進んだ中小企業の経営者との対談を載せています。この対談を読むことで、海外進出に躊躇している経営者のみなさまにひとつの光明を与えることができると思っています。さらに、この章では、「ものづくりは現場が大事！　しかし、海外展開では、それがすべてではない！」の意味を説明しています。

第2章から第8章は、「ケーススタディ」、「ワンポイントアドバイス」、「コーヒーブレーク」で構成されています。「ケーススタディ」と「ワンポイントアドバイス」は、移転価格税制および関税の種々の問題の解決の糸口を提供しています。「コーヒーブレーク」は、移転価格税制および関税関連で知っていて為になる情報を載せています。

また、第4章「戦略的移転価格対策」と第7章「戦略的関税対策」で取り上げている「ケーススタディ」は、実務に則した内容を詳らかに説明していますので海外事業戦略策定に携わる方にとって有用と考えます。

移転価格と関税に関する基本用語集は、日本の用語だけでなく、中国、米国で使用されている用語の翻訳も収録しています。

この本を執筆するに当たり、株式会社ナンシン 斉藤信房社長、ポリマテック株式会社 西平俊裕会長、株式会社カジワラ 梶原徳二会長のみなさまからは、多忙にもかかわらず多くのアドバイスをいただきました。また、千倉書房の川口理恵氏は、この本の企画から校正にいたるまで全面的サポートをしてくださいました。あらためて、みなさまに厚くお礼申しあげます。

２０１０年９月

村田 守弘

石川 敏夫

柴田 篤

はじめに …… 3

Chapter 1

第１章　ものづくりは現場が大事！　しかし海外展開では、それがすべてではない！ …… 21

海外に出たら、大企業も中小企業も「日本企業」として扱われる …… 24

①　１９９０年代の移転価格税制のターゲット …… 25

②　２０００年代の移転価格税制のターゲット …… 26

③　２０１０年代の移転価格税制のターゲット …… 28

日本の移転価格税制処分の移り変わり …… 29

事業の成功とは …… 29

グローバル化へと進んだ中小企業 …… 30

①株式会社ナンシン …… 30

②ポリマテック株式会社 …… 35

③株式会社カジワラ …… 39

中小企業のグローバル化は、避けて通れない …… 44

ユニクロのビジネスモデル …… 46

海外で成功するためのキーワード …… 48

キーワードその①知識より智恵を使うことです …… 49

キーワードその②現地の事業環境を良く知ることです …… 50

キーワードその③現地での情報収集が大事です …… 53

キーワードその④儲けすぎるということは……いいことです …… 56

キーワードその⑤　海外に出たら、大企業も中小企業もすべて日本企業です……58
キーワードその⑥　国際税務摩擦を恐れずに、恐れる視点が異なります……60
キーワードその⑦　税務当局は「そんなバカな！」と思えることを平気でします……63
キーワードその⑧　ＩＦＲＳは税務ではないのです……65
キーワードその⑨　知識を得るには、おカネを使うことです……68

海外で成功するために——基本問題

ケーススタディ①　海外子会社での移転価格課税……71
ケーススタディ②　海外子会社からの製品に対する関税……74
ケーススタディ③　非関税障壁について……77

Chapter

2

第2章　日本の移転価格税制とその運用　……　81
ケーススタディ①　移転価格税制の基本　……　82
ケーススタディ②　国外関連者の範囲　……　88
ケーススタディ③　独立価格比準法　……　90
ケーススタディ④　再販売価格基準法　……　93
ケーススタディ⑤　原価基準法　……　98
ケーススタディ⑥　その他の方法――取引単位営業利益法　……　102
ケーススタディ⑦　その他の方法――プロフィット・スプリット法　……　105
◎コーヒーブレーク　移転価格税制導入の背景　……　110
◎ワンポイントアドバイス　移転価格における文書化規定　……　113

移転価格税制の条文の読み方……116

Chapter 3

第3章　各国の移転価格税制とその運用……127

1　移転価格税制におけるグローバル・スタンダード……128
ケーススタディ①　移転価格税制のグローバル・スタンダードとは……128
◎コーヒーブレーク　OECDとは……134

2　中国の移転価格税制とその運用……138
ケーススタディ②　移転価格税制の執行状況について……138
ケーススタディ③　中国の文書化について……141

ケーススタディ④　日本企業が直面している税務問題
——恒久的施設 …… 143
◎コーヒーブレーク　中国人にとって最高の幸せ …… 149

3　インドの移転価格税制とその運用 …… 151

ケーススタディ⑤　インドの移転価格税制とタックスホリデー …… 151
ケーススタディ⑥　インドの移転価格調査
——ソニーのインド子会社 …… 153

4　ASEANの移転価格税制とその運用 …… 157

ケーススタディ⑦　ASEAN各国の移転価格税制 …… 157

5　米国の移転価格税制とその運用 …… 160

ケーススタディ⑧　あるべき移転価格の幅 …… 160

ケーススタディ⑨ グループ内役務提供……164
ケーススタディ⑩ 利益比準法の算定方法……167
◎ワンポイントアドバイス　移転価格で用いられる統計の概念
——四分位値（四分位範囲）……172

Chapter 4

第4章 **戦略的移転価格対策**……175
ケーススタディ① 米国でのジョイントベンチャーに輸出する場合……176
1 あるべき移転価格の算定方法……178
2 戦略的移転価格設定の手順……180
3 機能とリスクの分析……182
4 比較対象取引の選定と移転価格算定方法の選択……184

ケーススタディ② 生産拠点が数カ国にちらばっている場合……189

移転価格調査……198

移転価格調査の引き金……198

移転価格調査が実施される可能性が高い企業とは……199

◎ワンポイントアドバイス　移転価格調査の手順……201

◎ワンポイントアドバイス
移転価格と関税のハザマに海外進出成功のカギがある……206

Chapter 5

第5章……209

移転価格税務訴訟

ケーススタディ① 今治造船会社事件……212

ケーススタディ②　タイ金利事件……218
ケーススタディ③　アドビ事件……227
ケーススタディ④　日本圧縮端子事件……234
◎ワンポイントアドバイス　相互協議について……243
相互協議手続きの概要……243
相互協議手続きの流れ……245
◎ワンポイントアドバイス　事前確認制度（ＡＰＡ）について……249
事前確認制度の概要……249
事前確認手続きの流れ……251
事前確認申請の利点……256
◎ワンポイントアドバイス　税務争訴制度について……257
異議申立て手続の概要……257
審査請求手続の概要……259

Chapter 6

第6章 関税

第6章 関税 …… 263

1 法律としての関税の持つ二面性　通商法×租税法 …… 264

2 関税　ケーススタディ …… 268

ケーススタディ① アンダーバリュー …… 268

ケーススタディ② エンジン開発サポート費用 …… 270

ケーススタディ③ 無償の金型提供 …… 271

ケーススタディ④ 輸入者が支払った滞船料 …… 272

ケーススタディ⑤ デザイン開発サポート費用 …… 273

ケーススタディ⑥ 関税を合法的に下げる方法 …… 274

ケーススタディ⑦ 中国と貿易する場合の留意点 …… 276

ケーススタディ⑧ 中国での加工貿易について …… 280
◎コーヒーブレーク　増値税 …… 284
◎コーヒーブレーク　中国の法体系 …… 285

3 関税におけるグローバル・スタンダード
～ＧＡＴＴからＷＴＯへ …… 288

4 ＦＴＡ／ＥＰＡが結ばれると、ビジネスはどう変わるのか …… 293
ケーススタディ⑨ ＦＴＡ／ＥＰＡについて …… 297
ケーススタディ⑩ インコタームズ（Incoterms） …… 300
◎コーヒーブレーク　韓国のＦＴＡ政策 …… 307
◎関税の条文の読み方 …… 310

Chapter 7

第7章 戦略的関税対策

第7章 戦略的関税対策 …… 323
ケーススタディ①アパレル製品の輸入 …… 324
1 あるべき通関価格の算定方法 …… 327
2 戦略的関税価格設定の手順 …… 330
3 関税評価と対価性 …… 333
4 あるべき通関価格算定方法の選択 …… 338
ケーススタディ② 東アジアグローバルビジネスの展開 …… 340
1 関税削減の目標を設定すること …… 341
2 あるべき通関価格を下げる施策を練ること …… 342
3 税関当局との無用な争いを避けること～文書化する …… 346

関税価格調査 …… 351
関税価格調査の引き金 …… 351
税関事後調査が実施される可能性が高い企業とは …… 351
◎ワンポイントアドバイス
税関の税務調査である事後調査とは …… 353
◎コーヒーブレーク　原産地ルール …… 359
◎ワンポイントアドバイス　関税での評価方法 …… 364
◎ワンポイントアドバイス　関税率の適用の指針 …… 368

Chapter 8

第8章 …… 371
非関税障壁
非関税障壁とは …… 372

ケーススタディ①
非関税障壁に対する対応～通信機器部品の製造業……374
ケーススタディ②
非関税障壁に対する対応～健康器具……378
ケーススタディ③
非関税障壁に対する対応～「それ以外の非関税障壁」……381
ケーススタディ④　輸出業者に課される制限……383
◎コーヒーブレーク　「外為法」は過去の遺物か!?……388

附録　移転価格と関税に関する基本用語集……411

【凡例】

憲法…憲
法人税法…法
法人税法施行令…法令
法人税法施行規則…法規
消費税法…消
消費税法施行令…消令
地方税法…地
地方税法附則…地附
租税特別措置法…措法
租税特別措置法施行令…措令
租税特別措置法施行規則…措規
租税特別措置法通達…措通
関税法…関
関税法施行令…関令
関税定率法…関定
関税定率法施行令…関定令
関税暫定措置法…関暫措
関税暫定措置法施行令…関暫措令
関税定率法別表…関定別表

（用例）
法人税法第22条3項2号→法22③二

Chapter 1

第1章

ものづくりは現場が大事！しかし海外展開では、それがすべてではない！

ものづくりは現場が大事！しかし海外展開では、それがすべてではない！

私（村田守弘）は、職業会計人として40年間、日本企業の海外での事業展開の手伝いをしてきました。そして、私の職業会計人としての経歴の大半は国際税務の分野です。特に移転価格の分野では、他の追随を許さない経験を積んできたと自負しております。自分の得意分野に関することであれば、たとえ海図のない海であっても、無事に船が航海できるよう舵取りのアドバイスする水先案内人のようになれるのではないかと考えています。本章後節「**中小企業のグローバル化は、避けて通れない**」で述べますが、これからは、大企業のみならず中小企業も海外での事業展開は必至と考えています。そして、水先案内人を必要としているのは、大企業の経営者でなく、むしろ中小企業の経営者のみなさまです。ですから、この本を手にとって読んでいただきたい方々は、ビジネスを実践している実務家、特に中小企業の経営者の方々です。

　日本の経営者が金科玉条にしてきた「良いものを安く売る」という経営理念は、時として利益軽視の傾向におちいります。利害関係者の多い大企業の経営者は、ものいう株主が多くなってきているため、利益軽視の傾向が改まりつつありますが、中小企業の経営者は、ストレートに言わせていただくと、赤字をだしても自らの首が飛ばないので利益軽視の傾向が残っているのではないでしょうか。実際に、150万社あるといわれる中小企業の多くは、申告所得がゼロあるいは赤字で法人税を支払っていません。むしろ税金を払うことを良しとしない雰囲気があるようです。しかし、事業の拡大のため、あるいは、生き残りのため海外進出する中小企業の経営者は、下記に述べるように税金を必要経費として支払う場合もあるのです。

海外に出たら、大企業も中小企業も「日本企業」として扱われる

国内では、中小企業は、国内の優遇税制の恩恵のもと、手厚い保護を受けて事業運営をしているように見受けられます。しかし、事業の拡大のため、あるいは、生き残りのため企業が国際化すると、そのような環境が一挙に取り去られるのです。**海外に出たら、大企業も中小企業も「日本企業」として扱われます。**海外で事業活動を営む日本企業に対して、諸外国が税金という必要経費の支払いを求めてきます。その支払を求める税が、**移転価格税制と関税**です。外国での日本企業叩きは、日常茶飯事です。諸外国は、日本企業の税に対するあいまいな行動を許さないのです。税金というかたちで必要経費の支払いを求めてくるのです。

多くの中小企業の経営者は、生き残りのための事業戦略の策定に心血を注いでおります。その事業戦略の中に、移転価格税制と関税を考慮することが大事です。移

転価格税制と関税を考慮していない事業戦略は、絵に描いた餅に過ぎません。この本では、中小企業の経営者に認識して欲しい移転価格税制と関税のポイントを中心に議論しています。

次に、最近の外的環境の変化も触れておきます。多くの中小企業が海外進出する予定の新興国・途上国において移転価格税制の導入が相次いでいます。この10年余りの間に、中国、インド、タイ、パキスタン、マレーシア、ベトナム、台湾、シンガポール、フィリピンで移転価格税制が導入されています。

日本の移転価格課税処分を時系列に表にしました。

① 1990年代の移転価格税制のターゲット（図表1―1）

この時期の調査対象は、外資系企業が目立っています。外資系の著名法人である日本コカ・コーラ、AIU保険、P&G、ネスレ日本等、収益力の高い外資系企業が狙われ、100億円を超える申告漏れ所得の更正が相次いでいました。

［図表1－1］

【我が国の移転価格課税事例】　～新聞報道から～　　（単位：億円）

年	会社名	更正所得額	更正税額	親会社
1991	AIU保険日本支店	60	28	米国
	AIU保険日本支店	140	60	米国
1993	日本ロシュ	95	38	スイス
1994	日本コカ・コーラ	380	150	米国
	日本チバガイギー	120	57	スイス
	AIU保険日本支店	N／A	20	米国
	日本グッドイヤー	14	5	米国
	ヘキストジャパン	70	30	ドイツ
	P&G日本支店	20	8	米国
1995	出光興産	32	17	日本
	日本ロシュ	170	70	スイス
	シマノ	20	8	日本
1997	JWS	160	70	フランス
1998	村田製作所	137	55	日本
	日本モンサント	15	3	米国
	山之内製薬	541	242	日本
	バクスター	150	60	米国
	曙ブレーキ	5.8	3.5	日本
	ネスレ日本	15	7	スイス
1999	日本メドトロニック	120	50	米国
	日本チバガイギー	80	33	スイス
	日本石油	11	4.5	日本
	ファイザー製薬	45	18	米国

②2000年代の移転価格税制のターゲット（図表1―2）

調査対象とされた業種は様々で、総合商社、医薬品製造、自動車製造、化学品製造等、日本を代表する上場企業が次々と調査対象となりました。これは、日系の大手製造業の海外進出の拡大に伴い、海外子会社との製品等の棚卸取引に調査対象の

[図表1－2]

【我が国の移転価格課税事例】　～新聞報道から～　　　　(単位：億円)

年	会社名	更正所得額	更正税額	親会社
2000	ポリグラム&ポリドール	260	100	米国
	日本コカ・コーラ	450	170	米国
2002	ローランド	10	3.3	日本
2003	太陽誘電	N／A	17	日本
2004	ホンダ	254	130	日本
2005	京セラ	243	130	日本
	日本金銭機械	34	16	日本
	ソニー	214	45	日本
	TDK	213	120	日本
	浜松ホトニクス	14	7	日本
2006	ワコール	15	5	日本
	カプコン	51	17	日本
	上村工業	24	11	日本
	武田薬品工業	1，223	570	日本
	ソニー及びSCE	744	279	日本
	三菱商事	50	22	日本
	三井物産	49	25	日本
	日本電産	69	33	日本
2007	三菱商事	89	36	日本
	三井物産	82	39	日本
	エフ・シー・シー	73	34	日本
	信越化学工業	233	110	日本
2008	ホンダ	1，400	800	日本
	三菱商事	116	48	日本
	三井物産	107	47	日本
	ダイキン工業	78	35	日本
	デンソー	155	73	日本
2009	アシックス	40	19	日本

[図表1－3]

【我が国の移転価格課税事例】　～新聞報道から～　　　　(単位：億円)

年	会社名	更正所得額	更正税額	親会社
2010	コマツ	174	26	日本
	東レ	100超	52	日本

主眼が向けられたからです。

③2010年代の移転価格税制のターゲット（図表1―3）

これからの調査対象は、**年商が10億円台**の企業も含まれるでしょう。

調査対象の企業は、採用している移転価格の算定方法を書面化していない企業、海外子会社との取引が全売上に占める割合が相対的に大きい企業、親会社の利益水準が同業より低い企業です。公開していない中小企業が移転価格調査の対象となり、更正されても新聞報道がなされない可能性が高いです。移転価格更正が華々しく新聞記事にならなくても、目立たぬところで静かに移転価格調査は行われているのです。

日本の移転価格税制処分の移り変わり

日本の移転価格課税処分の傾向から明確なメッセージが伝わってきます。**日本の移転価格課税処分は、外資系企業から日本企業へ、大企業から中小企業へ移りつつあります。**この日本の移転価格課税処分の傾向が意味するところは、税が強制的に取られる状況が、日本でも生まれつつあることです。

関税の分野では、積極的に上記国々相互間ＦＴＡの締結を推進しています。しかし、残念ながら、日本は、ＦＴＡの交渉の蚊帳の外に居る状況です。

海外進出では、**移転価格税制と関税**が本当に無視できない状況となっております。

事業の成功とは

職業会計人として40年間、日本企業の海外での事業展開の手伝いをしてきた著者が改めて思うことは、事業の成功が第一です。税の事だけを語っても、事業は成功しません。とかく、税の専門家は、節税のみが事業の成功の鍵のように言いますが、それは違うと思います。**事業の成功は、収益の拡大とリスクのコントロールとのバランスが取れた時にもたらされます。**費用と収益を対応させることが会計の大原則ですが、それらのバランスが取れていない場合は、必ず、どこかで事業は破綻します。

次節では、海外事業に成功した中小企業の事例を取り上げます。その成功事例から、リスクを如何にコントロールしたかも推測できます。さらに、後節では、リスクコントロールの観点からの「成功のためのキーワード」とその解説もいたします。

グローバル化へと進んだ中小企業

① 株式会社ナンシン

海外事業に成功した中小企業の事例として、１９９０年にマレーシアに進出した株式会社ナンシンの話をします。ナンシンは、キャスター（ピアノや事務用椅子、台車などの脚についている車輪）のメーカーで、日本はもちろん世界におけるトップメーカーの地位を目指して、積極的なグローバル経営を営んでいる会社です。グローバル経営の第一弾として１９９０年にマレーシアに100％出資の海外生産工場として設立しました。そこでの成功を足がかりにして、現在は中国でも事業活動をしています。マレーシアに初めて進出した１９９０年のナンシンの資本金は、２０００万円の中小企業でした。積極的海外進出の結果、２００４年にはジャスダックに株式を上場するまでになりました。

【村田】斉藤信房社長は、何故、マレーシアを最初の進出先に選んだのですか？

【斉藤】中国は、時期尚早と考えていました。中国の窓口である香港は、中国を対象外にしたので、端から考えていなかったです。生産拠点として候補に挙がった国は、インドネシア、タイ、マレーシアでした。

【村田】１９８６年から１９９０年にかけて、候補に挙がった国々を斉藤社長はひたすら足で回ったとお聞きしています。当時はどんなことをされたのでしょうか？

【斉藤】現地の一般情報に関してジェトロ（JETRO）はとても親切に相談にのってくれました。しかし、自分達の欲しい情報は、当時は本当になかったのです。自分たちで現地の様子を探る、つまり情報も収集して回りました。大げさのようだけれど、本当にマレーシアを中心にそれらの国々を足でまわりました。距離にすると２０００キロは超えるでしょう。自分達の汗で集めた現地情報が進出先を決めるのに本当に役立ったと思っています。求道者が巡礼するように事業の場所を探し求めました。

【村田】その後、マレーシアではどうでしたか？ うまくいきましたか？

【斉藤】トイレひとつにしても、事前に調査し、こちらでよしと考えて、せっかくきれいなローカル・ウェスタンスタイルの大型公衆便所のような建物を作ったけれど、現地では「水洗便所」という発想はなかったのです。「（汚物を）水で流す」という慣行があり、つまり水桶を置いておき、それをくみ上げて水で流す方式（つまり、くみ上げ式）にしないと納得しなかったのです。それで、現地スタッフの言うことを尊重して任せたら……大変でしたがうまくいきました。

【村田】他に何かありましたか？

【斉藤】モスクの問題もありました。イスラム教徒は、就業時間内なのに、一日に何度もモスクに行くのです。仕事の効率が下がるからダメだ、とはいえないのです。アジアでは宗教を理解しない限り、絶対に現地ではうまくいかないでしょう。あまり信心深くない日本人は、生産性とか稼働率に眼が向いてしまいます。しかし、それではうまくいかないのです。私は、宗教を大切と考え、モスクをすばらしいものに建て替えました。しかし冷房を一切つけず、天気がよければ、特に真夏は5分と内部にいられないような環境にしました。従業員は、自然とすぐに仕事場（現場）に戻るようになりました（笑）。

【村田】ものづくりは現場を知ることが大事ということですね！

【斉藤】そのとおりです。しかし、我々も英国での海外進出では手痛い失敗をしています。時間を買うつもりで、英国では、企業買収をしました。しかし、かなりの簿外負債を抱えた会社を買ってしまいました。

【村田】買収前か、買収時か、買収後か……と、どの時点でおカネを使うかは、案外難しいことです。私の経験から言えば、日本の経営者は、リスクを最小限にする施策におカネを使うことが下手ですね。

【斉藤】そうですね！　どうしても目先のことに気が奪われがちになりますからね。

【村田】これから海外進出する企業の経営者に対して何かアドバイスをいただきたいです。

【斉藤】あまり大それたことは言えませんが、「**汗をかく**」、「**気配りをする**」「**カネをつかう**」がキーワードのような気がします。それから、全部とは言いませんが、多くの**中小企業のグローバル化は、避けて通れない**ような気がします。

【村田】大変貴重なお話しをいただきありがとうございます。

② ポリマテック株式会社

次に１９８７年にマレーシアに進出した中小企業、ポリマテックの話をいたします。ポリマテック株式会社は、マレーシア進出後、積極的海外展開をして、現在、製造拠点の主力は国内ではなく海外にあり、営業拠点も国内２拠点に対し、海外12拠点となっています。ポリマテックは、携帯電話のキーパッド、放熱シート等ゴムおよびプラスチックを主原料とする精密機器の製造販売をしている会社です。積極的なグローバル経営を営んでいる会社で、グループ全体で５０００名近い従業員を雇用し、資本金は16億６９５０万円の堂々たる企業に成長しています。

【村田】西平俊裕会長は、なぜ、マレーシアを最初の進出先に選んだのですか？

【西平】有力なお取引先がマレーシアに生産拠点を持つからと言われたのが契機でした。進出して分かったことですが、マレーシア人は、人情という観点から日本人と肌のあう人種です。

【村田】マレーシアに生産拠点を持たれてから、非常に積極的な海外展開をしてこられましたが、西平会長の経営方針について聞かせてください。

【西平】私は、常々考えていたことを実行に移しただけです。それは、「日本で開発、アジアで生産、世界で販売」の考えです。

【村田】そのお考えは非常に分かりやすいですが、いざ実行するとなるといろいろ難しいとおもいますが……？

【西平】そのとおりです。ここで申し上げたい点があります。中小企業では、番頭の役割が非常に大事です。創業者である私は、どうも独走してしまう傾向があります。ですから、これは……とおもうと現地に飛んで行きます。番頭は、現地に行ったことはないですが、常に全体のバランスを考えてくれます。

【村田】つまり、番頭がいることで、独走しないで身の丈にあった海外進出が可能だったという訳ですね。日本で開発と世界で販売の部分は、想像がつくのですが、アジアで生産というのがいまひとつ想像できないのです。製品開発は、育てた人財の居る日本で実施すること、また、良い製品であれば、価格さえ適正であれば売れると思います。しかし、ものづくりの部分は、日本で培ったノウハウを移転しないとできないと思います。その点について、どのような工夫をされたのですか？

【西平】ポリマテック・ウエイとは何か？　現場力とは何かについて、実証的な情報を下に毎月、現場の監督者に伝えたことです。このための集まりをガリレオ経営会議と呼んでいます。ガリレオ経営会議でもって、日本で培った技術のノウハウのみならず、コスト削減のノウハウ、歯を喰いしばっても頑張るという現場力のノウハウを海外生産拠点の監督者に植え付けることができたと思います。

【村田】ある意味では、ナンシンの斉藤社長のおっしゃる「**汗をかく**」、「**気配りをする**」「**カネをつかう**」に一脈通じるところがありそうですね。

【西平】そのとおりです。もうひとつ付け加えさせてもらえば、〝Persistency〟という言葉をガリレオ経営会議では、常に強調しています。〝Persistency〟を「こだわり」と訳すのがもっとも適切と考えます。我々は、常に「こだわり」を持ってものづくりをしています。それから、私は、弊社が中小企業と呼ばれることに「こだわり」を持っています。有難いことに弊社の売上は、350億円ちかくになりました。しかし、私は、中小企業の経営者の気概を持ち続けたいのです。現状に満足せず、常に企業家としてやりたいことをやりたいのです。

【村田】これから海外進出する企業の経営者に対して何か付け加えることはありますか?

【西平】日本では中小企業対策としていろいろと税制上の優遇措置があるため、中小企業の経営者は、中小企業であれば、優遇されて当然だという甘えがあると思います。しかし、**海外に出たら、大企業であれ、中小企業であれ、すべて日本企業**なのです。ある国で日本企業叩きが発生したら、中小企業も当然のこととしてターゲットになります。海外に出たら、大企業であれ、中小企業であれ、すべて日本企業であるという認識を持っていただきたいです。

【村田】大変貴重なお話しをいただきありがとうございます。

③ 株式会社カジワラ

ナンシンもポリマテックも海外進出した中小企業です。

次に、自社製品はあくまで日本で製造し、Made in Japanの製品を輸出することにこだわる中小企業、カジワラの話をします。

株式会社カジワラは、食品調理加工用機械メーカーです。1959年に米国の和菓子店にあん練機を初めて輸出しました。その後、用途も広がり韓国、中国、インドネシア、タイ等多くの国に、食品調理加工用機械を輸出しています。しかし、カジワラは、海外拠点を持たないで、直接、海外の顧客に製品を販売する形態を続けています。カジワラは、1939年創業の会社で、二代目の梶原徳二会長、三代目の梶原秀浩社長で100年企業を目指しています。

【村田】梶原徳二会長は、Made in Japan、そして、その製品の輸出にこだわっていると思いますが、その理由を教えて下さい。

【梶原】中小企業が生き残るか否かは、ユーザーの情報を共有させて頂けるかどうかによります。先進的な日本のユーザーさんの情報を利用して、はじめて製品の改良、そして新製品の開発が可能となります。そこがMade in Japanにこだわる理由です。

【村田】ユーザーの情報を持っていることが大事であることは、良く分かります。それは中小企業のみならずすべての企業にとって大事なことです。それがMade in Japanにこだわる……ですか？

【梶原】ちょっと解説がいりますね（笑）。要は、味にきびしい日本のユーザーさんとのコラボレーションが当社の開発の基になっているということです。カジワラは業界のレベルを上げる為にも安値競争をしないことを目標としています。適正な利益をいただけないと、将来の改良、開発ができなくなります。将来の改良、開発を可能とする原資は、原価削減のみで生み出すことはできません。お客様の為に付加価値をつけることでカジワラは、利益を生みだすのです。あんこ練機も納得のいく製品になるまで、何回も失敗を繰り返しました。柔らかく煮た小豆に砂糖を加えることであんこはできるのですが、豆の煮方、攪拌のタイミング、温度調節などが非常に大事なのです。あんこを作る過程で煮《しゃ》熟《じゅく》した小豆がこげてしまうのです。食材をこがさないという単純そうに見えることでも、ノウハウが必要なのです。大量のなまの小豆を機械で自動的に炊き、そして高品質のあんこを練り上げるのは、ある意味でノウハウの塊りなんですよ。このノウハウの蓄積があることで、製品に付加価値をつけることが可能となります。中小企業が大企業と同じ分野で戦うと、価格競争に巻き込まれ生き残ることができないのです。次に、いくらノウハウがあると言っても、それがメーカー目線でのノウハウでは意味が無いのです。**大事なのは、ユーザー目線に立った製品の開発と販売です。**

埼玉県八潮市にカスタマーセンターを設けています。そこでは、食品工場レベルの衛生的な環境でカジワラの加熱撹拌機・食品加工機械・製あん機のテストができます。そこでは、お客様が持ち込んだ材料を使用していただき、食品加工・製菓の専任技術者、営業社員が一緒にテスト機で実験し、具体的に機種の検討・打ち合わせを行います。**お客様が求めているのは、ハードだけでなくソフトの情報です。**カスタマーセンターにお客様が来られることで、我々のソフト情報も提供できるのです。同時に、より具体的なニーズを頂くことができます。

【村田】そういうことですか！　梶原さんのおっしゃることは、国内販売での、あるいは、輸出販売での経営方針ではなく、当に100年企業を目指す中小企業の経営方針ですね！

貴社の事業の海外展開で何か留意している点は、ありますか？

【梶原】やはり、中国のコピー問題ですね。中国への輸出には、細心の注意が必要です。これからという当社の先行機種製品が、直ぐにコピーされると本当に悔しいですね。似て非なる性能でコピーされるのも問題です。次に、ＦＴＡが気になりますね。韓国は積極的にＦＴＡを多くの国と結んでいます。しかし、日本はＦＴＡの面では、周回遅れの感じがします。関税で韓国、その他の国々の製品に比較して、我々の製品の価格競争力は負けてしまいます。なんとかして欲しいのが本音ですね！　ＦＴＡによる関税政策のみならず、電機、圧力容器などの工業基準の相互認証の非関税障壁の問題もあります。中小企業の輸出は、どうしても小ロットになります。そこが厳しいところですね。

【村田】現地法人を作る形での海外進出は、検討されていませんか？

【梶原】いません。輸出をどう高めるかについて、国際部がありますが、国際部というものの言葉ができる程度の半ベテランのスタッフ3人で、目下、ユーザー目線でのエンジニアリングの習得に励んでいます。輸出額は、このところ年間3億円で頭打ちです。しかし、このまま国内市場で伸びることは難しいので、真剣に海外展開を考える時期が来ていると思っています。その時は、やはり自社の製品を売るだけでは、限界があります。他のメーカーとコラボレーションすることが大事と考えています。海外のお客様が食品工場を作るお手伝いをするつもりで活動する必要があります。そのためには、ハードも売るだけではダメで、やはりソフトも提供する必要があります。ユーザーの情報は、経営者自らが先頭に立って現場で感得《かんとく》する必要があります。ですから、息子にもできるだけ海外に行くように言っています。

【村田】経営者自らの情報収集、付加価値の高い製品作ること……それらはユーザー目線に立った、製品の開発と販売ですね。

【梶原】中小企業にとって厳しい時代です。しかし、生き残るためには、変わらなければならないのです。「窮すれば則ち変ず、変ずれば則ち通ず」の格言を私は、大事にしています。

【村田】大変貴重なお話しありがとうございます。

中小企業のグローバル化は、避けて通れない

中小企業[1]は国内のニッチな分野での事業展開に専念することで生き残ることができるといわれています。そして、グローバルな事業展開は、上場企業がするものと考えられてきました。

しかし、アメリカに続く世界第二位の経済大国である日本の国力は、40年後には様変わりすると予想されています。２０２５年には中国がアメリカを抜いて世界第一位の経済大国になり、２０５０年にはインド、ブラジルが日本を抜いて世界第三位、四位の経済大国になります（図表１－４）。このような状況になると、中小企業も

[図表1-4]

●2050年GDP世界市場の規模

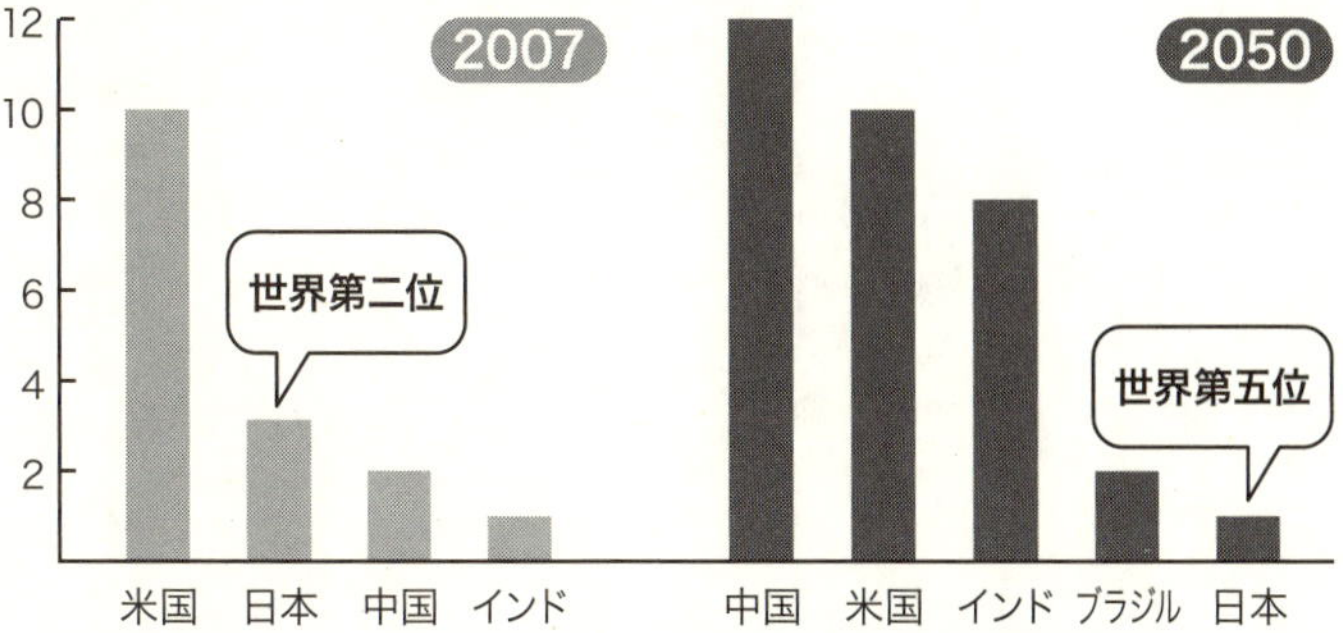

米国のGDPを100とした相対的数値（PwC報告書2050年の世界より）

ある程度、グローバルな事業展開を視野に入れる必要が生じてきます。

次に、国内市場に目を向けるとインターネットの存在が、脅威をもたらしつつあります。インターネットがすべての分野に行き渡るようになると、インターネットの影響力が諸刃の剣となってきています。

片田舎の小企業が、全国区の販売網を持つことがネット販売で可能となるし、その反面、国内のニッチ市場で万全と思われた中堅企業の

1　本書では、資本金が10億円以下の会社を中小企業と想定しています。日本には中小企業（個人事業所を除く）は約150万社あります。中小企業基本法に基づく小規模企業（常時雇用する従業員が20名以下）100万社を除くと、50万社ぐらいが本書で想定する中小企業数です。

マーケットが、大企業、外資、中小企業に瞬く間に乗っ取られる危険があります。消費者は、低価格・高品質の製品に関する情報をインターネットから入手している今日この頃です。低価格・高品質の製品、サービスを提供できない企業は、淘汰されてしまうのです。つまり、すべての企業が今まで以上にリスクに晒され、また、チャンスを得ているのです。

ユニクロのビジネスモデル

低価格・高品質を企業が達成するためには、高品質の製品を安く作る必要があります。この点において、ユニクロのビジネスは、参考になるでしょう。ヒートテックは、当に低価格・高品質の製品です。ヒートテックの素材である糸は、**東レの製品**です。この素材があるからヒートテックはできるのですが、その糸を使用した縫製を日本でしたら低価格での製品供給はできなかったでしょう。**縫製を人件費の安い中国ですることと日本人ベテラン技術者（匠）を派遣して、縫製や工場管理など**

の日本の繊維技術を、中国のパートナー工場の技術者に伝授することで初めて高品質のヒートテックを低価格で提供できるようになったと考えます。生き残るためには、規模の大小を問わず、すべての企業がユニクロ的ビジネスモデルの構築が必要となってきています。海外進出において、好むと好まざるとにかかわらず対応しなければならない事柄があります。それは国際税務（代表的なものに移転価格と関税）の対応です。ユニクロ的ビジネスモデルを構築しても、その分野の対応がおろそかになると海外進出は成功しません。

　ユニクロ的ビジネスモデルの構築のためには、国際税務の知識を必要としますが、約150万社あるといわれている中小企業の経営者すべてがそのような専門的知識を身に付けることは不可能です。

　限られた人財の中小企業が成功するには、あえて言わせていただくと、「経営者が汗をかく」「経営者が気配りをする」「経営者はカネをつかう」ことが必要です。中小企業が海外で成功するため、不可能を可能にするキーワードの具体的内容を紹介します。

- 知識より智恵を使うことです
- 現地の事業環境を良く知ることです
- 現地での情報収集が大事です。
- 儲けすぎるということは……いいことです
- 海外に出たら、大企業も中小企業もすべて日本企業です
- 国際税務摩擦を恐れずに、恐れる視点が異なります
- 税務当局は「そんなバカな！」と思えることを平気でします
- ＩＦＲＳは税務ではないのです。そこをまず理解しましょう
- 知識を得るには、おカネを使うことです

海外で成功するためのするキーワード

海外で成功するためのするキーワードを「経営者が汗をかく」「経営者が気配りをする」「経営者はカネをつかう」という観点からまとめました。

キーワードその1　知識より智恵を使うことです

知識より智恵を使うことに関して、スズキ自動車の鈴木修氏の著書『俺は、中小企業のおやじ』（日本経済新聞出版社）の一文を引用します。

「バランスシートを読めなくても、簿記を勉強していなくても二つのポケットがあれば用が足ります！」八百屋のおやじが野菜を仕入れる時、二つのポケットがあるエプロンの右のポケットに10万円入れて、市場に行きます。その10万円で野菜を仕入れて販売する時、10万円になるまで右のポケットに代金をいれます。10万円になったら、左のポケットに入れますと儲けがわかります。往々にして一つのポケットにおカネを入れて失敗します。

企業の経営に成功した経営者、特に中小企業の経営者は、直感力が鋭いです。直感力とは、智恵の力ではないかと考えます。中小企業の経営者を自認する鈴木さんの言う「智恵を使え」は、当に海外進出をする時大事になります。

ユニクロ的ビジネスモデルを達成するには、中国進出、あるいは、タイ、カンボジア、ラオス等の東南アジア諸国への進出が必至と考えます。しかし、今まで海外進出したことがなく、知識も経験もないからといって、諦める必要はありません。経験のない分野に進む時**必要なものは、知識ではなく智恵**です。その智恵は、低価格・高品質の製品、サービスを提供するための智恵です。

キーワードその2　現地の事業環境を良く知ることです

事業を遂行するには、ヒト、モノ、カネが必要です。カネの部分は、資金の収支で示されます。収入は販売、資金調達が原資となります。支出は、人件費、材料費、そして税金です。税金を徴収する各国税務当局は、**利益の分け前**を問題にするのです。例えば、部品メーカーが、①主要部品を日本で製造し、②それを中国工場（子会社）に輸出して、そこで組立し、できた製品を③部品メーカーが買取り、④部品メーカーが日本の顧客に部品を販売した場合を考えます。④の段階での売上高、そして①の主要部品の製造原価に加え、②と③で発生する人件費は確定しています。もし、④の段階での売上高が１０００、①から③の段階までの製造原価と人件費合計額が600とした場合、その差額である400が利益になります。その利益400をすべて日本の親会社が認識したら、中国の税務当局は黙っていないでしょう。逆に、その利益400をすべて中国の現地法人が認識したら、日本の税務当局は黙っていないでしょう。

大事なことは、両国の税務当局が納得できる取引価格、つまりあるべき取引価格で取引する必要があります。そこで、本書では、輸出・輸入取引にかかわる関係会社それぞれが適正な利益を確保できる親会社・海外子会社間の取引価格を**あるべき移転価格**と呼びます。移転価格税制の基本は、あるべき移転価格によって行われた取引については問題にしません。しかし、あるべき移転価格と異なる場合、親会社・海外子会社間の取引価格が問題にされ、追徴課税の対象となります。**移転価格税制では、このあるべき移転価格を独立企業間価格と呼びます。**留意すべき点として、親会社が第三者から仕入れる価格、海外子会社が第三者に販売する価格は、移転価

[図表 1-5]

●会社の活動

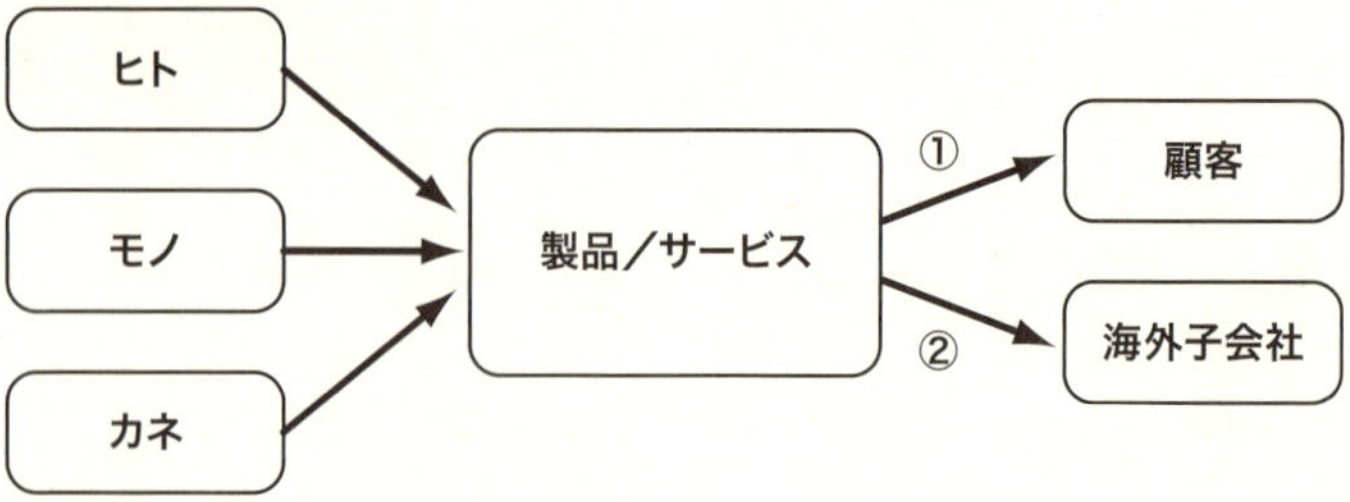

①税法上、第三者との取引価格は問題とされません。

②税法上、常に取引価格は問題にされます。あるべき移転価格を必要とします。

格ではありません。これらは市場価格に基づく取引価格です。

つまり、税法上、第三者との取引は、問題とされません（図表1—5）。

極端なケースだと、日本の税務当局は、生産子会社からの輸入価格が高すぎることによって親会社の仕入原価が過大に計上されているとして、仕入金額の減額（つまり追徴）を求めてきます。ところが、同じ取引に対して、生産子会社のある国の税務当局は、生産子会社の輸出価格が低すぎることによって親会社に対する売上が過少に計上されているとして、売上金額の増額（これも追徴）を求めてくることがあります。このような事態を避けるためには、**現地の税務当局の考え方を知ることがとても重要です。これによって、効果的な対応が可能**となります。

移転価格問題の難しさは、変数が多すぎる連立方程式（企業がグローバル化しているゆえ、関係する税務当局が多い）を想定すると分かりやすいでしょう。

キーワードその3　現地での情報収集が大事です

バランスのとれた経営者は、攻めの経営と守りの経営の両方に気配りをします。攻めの経営の場合、利益の極大化を図ることに第一主眼が置かれます。利益の極大化を実現するための経営課題として「新しい収益源の確立」、「製品・サービスの高付加価値化」、「新興市場の開拓」、「コスト削減」等が挙げられます。海外進出を考える中小企業の経営者の方々は、一般的に攻めの経営が得意です。ですから、攻めに関する経営課題も熟知しており、その課題の解決のためのPlan、Do、Seeについて従業員とも考えを共有されていることが多いと思われます。

一方、守りの経営の場合、会社存亡の危機をもたらすリスクを避けるため取り組む必要がある経営課題として「海外進出に伴う事業リスク管理」、「税務リスク管理」、「適正な財務リスク管理」、「風評リスクを起こすような企業行動の根絶」等が挙げられます。海外進出を考える中小企業の経営者の方々が戸惑うことは、何を守るかがよく分からないことにあります。このため、守りの経営に関する経営課題に関わるPlan、Do、Seeについて従業員と考えを共有することができません。海外進出した時、何が守るべき事柄かの情報を入手しそれが伝達されなければ、適正に対応することができません。特に海外展開した場合、問題と思われる情報がタイムリーに経営者に伝達されなければ、致命傷となる場合があります。

経営とは上位下達であると考えている経営者の下で、海外事業での守りの経営をすると、

・海外駐在員は指示待ちの受動的活動だけしかしません。
・その結果、海外駐在員の情報収集能力が磨かれることがありません。さらに、
　彼等は、自分の行動に責任をとらない従業員になります。

・そこで、問題が起こると、現地の外部コンサルタントに助けを求めます。
・そのコンサルタントの言うアドバイスをおうむ返しに親会社に伝達します。

攻めの経営で求められる経営スタイルは、必要な情報は、双方向に流れるフラットなものと考えます。そのことによって、
・海外駐在員は能動的に活動します。
・その結果、海外駐在員の情報収集能力が高まります。さらに、彼等は、自分の行動に責任をとるようになります。
・そこで、問題が起こると、自分の疑問点を明らかにして、自分の疑問点に対して現地の外部コンサルタントにアドバイスを求めます。
・海外駐在員は、自分の考えを親会社に伝えます。外部コンサルタントのアドバイスは、参考として利用します。

大企業であれば、攻めの経営の中心になる経営者はＣＥＯで、守りに経営の要に

なる経営者はＣＦＯでしょう。しかし、中小企業において、大企業のような経営形態をとることは不可能です。社長がＣＥＯであり、ＣＦＯである必要があります。海外駐在員の情報収集能力が高ければ、問題の起こる前に的確な判断が可能となります。

日本の経営者は、問題が起きてから外部の専門家に対して高い報酬を支払って、解決を図ろうとする傾向があります。問題が起きる前に未然に解決することがベストです。

キーワードその４　儲けすぎるということは……いいことです

企業は、利益の極大化を図ることが重要な使命です。その使命達成のためには、質の高い、良い製品・サービスを顧客が納得する価格で提供する必要があります。

そのためには、革新的技術・ノウハウの継続的創造、廉価で質の良い原材料の調達、必要とする技能に応じた労働力の確保が必要となります。グローバル化した経済の下、中小企業は、多国籍外国企業と伍して戦わなければなりません。そのような状況下、必要とする智恵（ノウハウ）、モノ（原材料）、ヒト（労働力）をすべて国内で調達することは不可能です。組

[図表 1-6]

●デフレ下の日本の現状

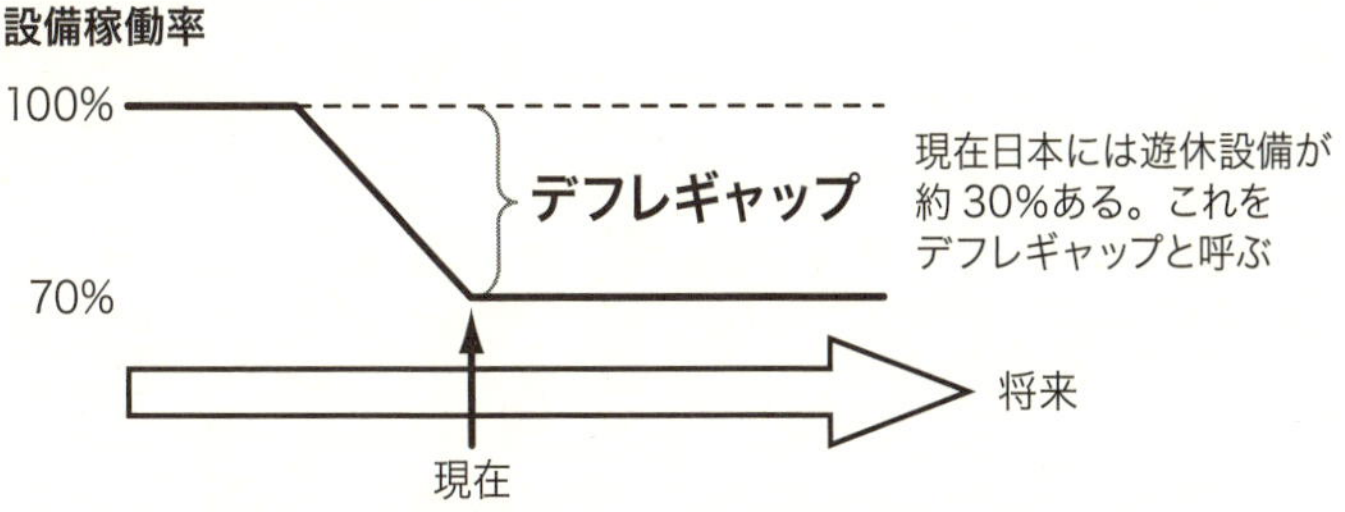

何もしなければデフレギャップは恒常的に存在する

[図表 1-7]

●デフレギャップの解消法

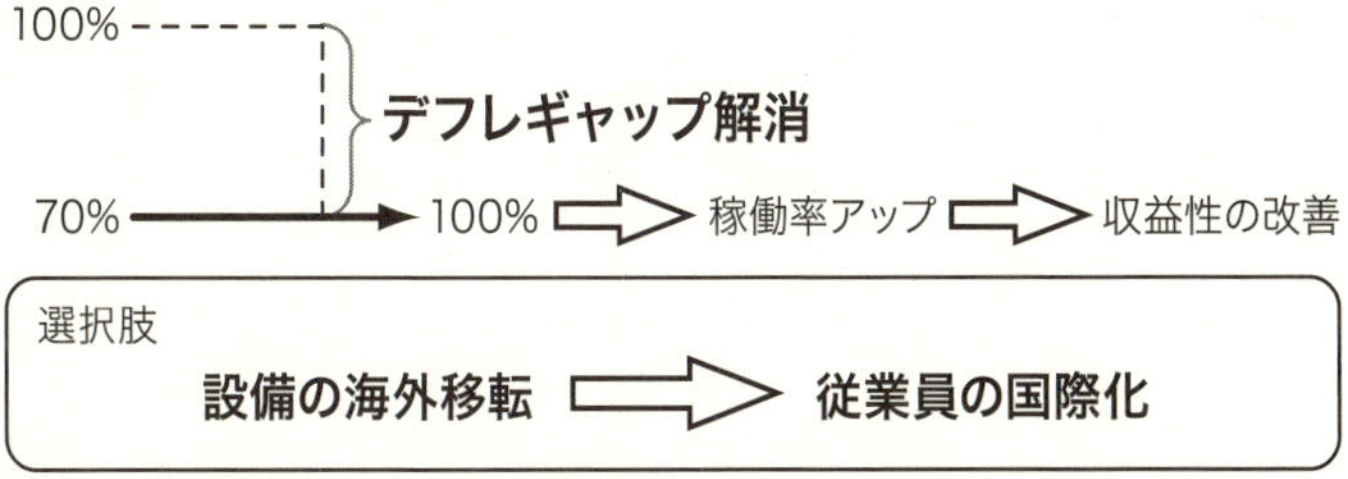

コメント　設備を単に廃棄するだけだと固定資産除却損そして従業員の解雇と負のスパイラルに陥る

み立てラインが必要とする技能レベルに支払う労働者の中国での賃金は、日本と比べて比較にならないほど低いのです。大企業の家電製品の組み立てラインが中国に移ったと同様に、中小企業がその生産拠点を中国などに移管するのは、生き残るために必然な行為です（図表1―6、図表1―7）。

しかし、生き残りを賭けて海外進出した日本企業に追い討ちをかける問題があります。それが移転価格の問題です。移転価格問題は、企業が極大化した利益を問題にしているのではありません。**中小企業が儲けすぎるということを税務当局は問題にしません。**儲けすぎることは……いいことです。

キーワードその5　海外に出たら、大企業も中小企業もすべて日本企業です

海外進出した中小企業が犯す大きな間違いは、立ち位置を良く理解していないことです。中小企業という名称は、日本においてのみ存在し、**海外に出たら、大企業も中小企業もすべて日本企業と見られます。**特に外国の税務当局は、自国企業か外

[図表1-8]

●海外進出するとおのずとリスクは高くなる

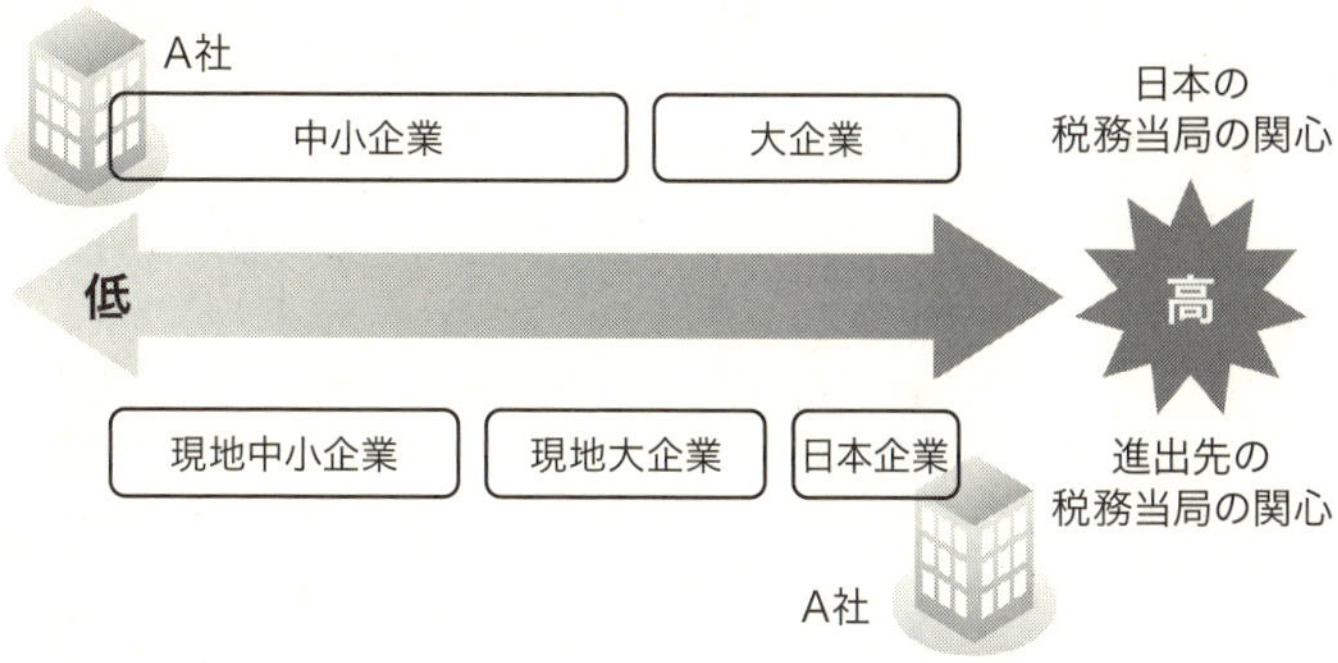

国企業かで徴税の厳しさを変えてくることが多いのです。外国の大企業に厳しくて、外国の中小企業に優しい外国の税務当局はありません。多国籍で事業を営むと、事業を営む国々で税金の取り合いが起こります。このような税金の取り合いを**国際税務摩擦**と呼ぶことにします。国際税務には無縁であった中小企業がユニクロ的ビジネスモデルを採用した途端、国際税務摩擦の渦中に放り込まれます（図表1―8）。ですから、企業が国際化すると、企業規模の大小を問わず税金が大事になる理由はここにあります。

キーワードその6　国際税務摩擦を恐れずに、恐れる視点が異なります

中小企業は、好むと好まざるとを問わず、グローバルな事業展開が必要となります。中小企業基盤整備機構が調査した資料[2]によれば、中小企業が海外拠点を持つ国をみると、最も多いのは中国で、2番目に多いのはタイ、以下、米国、香港と続き、上位10カ国の内、8カ国はアジアの国々です。また、海外拠点として、最も重要と認識している拠点も、中国です。上記調査結果がしめす海外拠点の実績から自明なことがあります。それは、中小企業の海外事業展開は、日本において製品を低価格で提供することが目的であることが多いということです。それゆえ、生産コストの安い海外に生産拠点を持つ事業展開が多く見受けられます。また最近では、生産拠点のみならず、拡販を目的とした販売拠点を海外に持つことを志向する中小企業も増えてきています。

　このような状況の中、中小企業の国境を越えた活動がより活発化するほど、進出先の国々の税務当局、そして、進出元の国である日本の税務当局は、中小企業の国

際的取引から発生した利益に対して関心を持つようになります。

各国の税務当局にとっては、自国の税収を確保することが至上命題となります。そこで、国境をはさんで国と国との間で税金の取り合いも活発になってきています。日本は貿易摩擦に苦労するのが宿命であるようですが、これからは、中小企業が進出する国々（中国、ＡＳＥＡＮ地域にある国々、米国、インド等）と国際税務摩擦にも苦労することになるでしょう。

国際間のルールに従って各企業が納税し、各税務当局が課税の執行をする限りにおいて、税金摩擦は発生しないと考えられます。しかし、どの国の税務当局も自国に有利になるよう課税をしてきます。無手勝流で勝てるほど税務当局は甘くないです。備えなくして泣きをみるのは、納税者です。準備のため、**国際間のルールを知っておくことは大事**です。

2　中小企業基盤整備機構による「平成20年度：中小企業海外事業活動実態調査」（平成21年3月）

税金に関する国際間の基本ルールは、次のとおりです。

（1）国際的な二重課税を排除すること←納税者の視点

（2）国際的取引を利用した脱税や租税回避を防止すること←税務当局の視点

国際的取引を利用した脱税や租税回避を図る企業は、数は少ないですがあります。この事実が、各国税務当局を必要以上に厳しい課税の執行に走らせる要因になっていることは残念です。しかし、多くの中小企業は、そのような意図なく国際的取引をしているのです。前述の国際間の基本ルールである（1）国際的な二重課税を排除すること、（2）国際的取引を利用した脱税や租税回避を防止することを実現するため、各国はそれぞれ法制の整備を進めています。まず、**国際的ルールを実現するための法制の基本は租税条約**です。租税条約は、二重課税の回避および脱税の防止のため二国間で結ぶ条約であって、国内源泉所得と国外源泉所得の範囲の取り決め（この範囲を決める判断基準に〝**恒久的施設**〟の概念があります）、利子、配当等の源泉所得課税の取り決め、および二重課税が発生した場合の二国間での対応的調整を実施する旨の合意等が、租税条約の根幹をなしています。

さらに、租税条約で対応しきれない事項に対処するため、各国それぞれ国内法を整備しています。国際的ルールを実現するため、本邦では次の税制を整備しています。

・移転価格税制

・タックス・ヘイブン（租税回避地）対策税制

・外国子会社の受取配当金の益金不算入制度

中小企業は、好むと好まざるとを問わず、グローバルな事業展開が必要となるのですから、国際税務摩擦を恐れず、**国際税務摩擦が発生する原因と、その解消を目的とした税制を知ることは大事**です。

キーワードその7　税務当局は「そんなバカな！」と思えることを平気でします

納税者の観点から問題となるのは、二重課税です。中国で製造した製品を輸入して日本で販売した利益に対して中国でも課税され、日本でも課税されることがあります。1回の取引の利益に対して、その取引にかかわる2つの国の税務当局が同時に課税すれば、ひとつの利益に対して2回課税されることになります。これが二重課税の問題です。「そんなバカな！」と思うかも知れませんが、**二重課税の問題は日常茶飯事**です。「そんなバカな！」の典型的例を述べます。Ａ社は、中国の自社製造工場（現地法人）から輸入した製品を販売していました。Ａ社は、その輸入価格にマージンを乗せて国内販売し利益を計上し、稼いだ所得を申告していました。日本の税務当局は、Ａ社にそれでＯＫ、しかし、中国税務当局は、現地法人にＮＯといって更正してきました。日本の税務当局がＯＫといっている価格を中国税務当局がダメということは、Ａ社からすれば全く納得いかない話しです。**汗水ながして稼いだ利益が二重課税によって吹っ飛んでしまいます**（図表1－9）。例として中国を用いましたが、どこの国が相手でもそんなバカなと思える話しは、起こっているのです。

［図表 1-9］
●国際税務摩擦

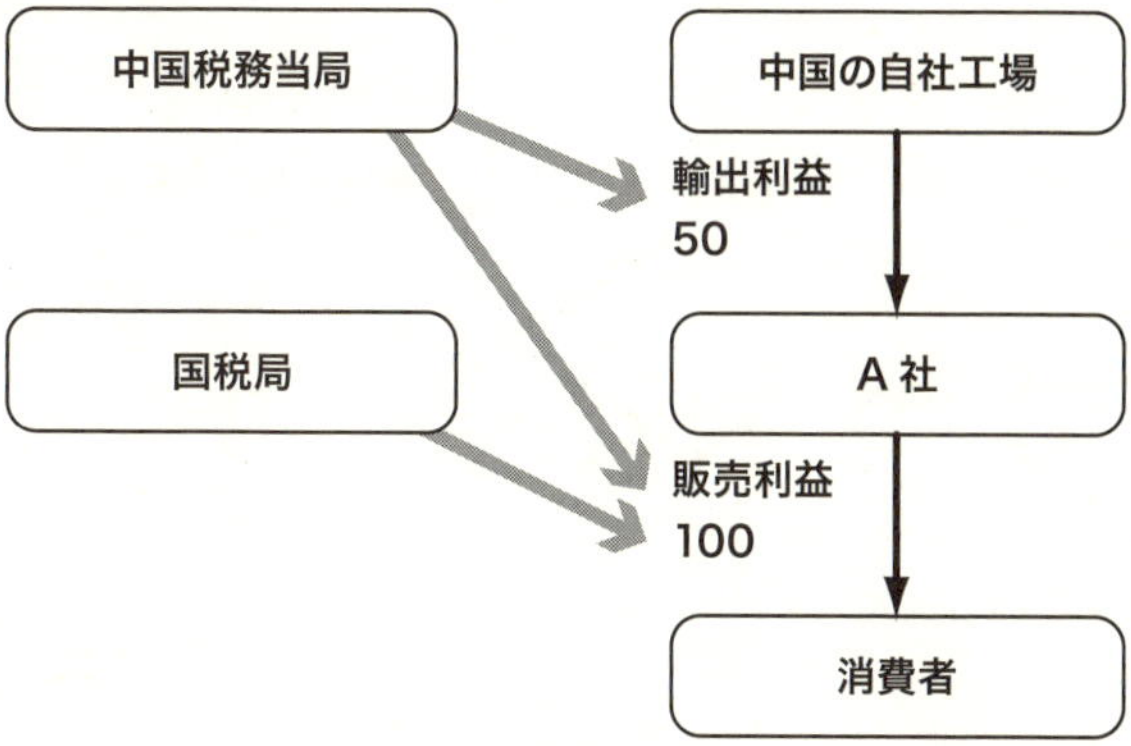

通常の課税に加えて強引な課税がされると二重課税が発生する

キーワードその8　ＩＦＲＳは税務ではないのです

日本の会計基準を国際会計基準（ＩＦＲＳおよびＩＡＳ）と同じにするという議論がここ最近盛んになされており、多くのＩＦＲＳ関連の書籍が大型書店に平積みされています。ＩＦＲＳの強制適用が早ければ２０１５年に開始される可能性が大であることを多くのＩＦＲＳ関連の書籍の表紙や帯に書かれています。これを見ると、あたかも、日本の会計基準が２０１５年にはその役目を終えて主役の座を国際会計基準に明け渡す会計維新を惹起させるかのようです。

[図表 1-10]

●海外事業展開する企業のグループ経営管理（1）

IFRS 導入のメリット

●財務報告、海外子会社の管理をより効果的・効率的に実施できる

●競合他社との比較可能性が高まる

●企業に対する評価が高まる可能性がある

＞

IFRS 導入のデメリット

●親会社は日本基準からの切り替えに臨時的コストが発生する

[図表 1-11]

●海外事業展開する企業のグループ経営管理（2）

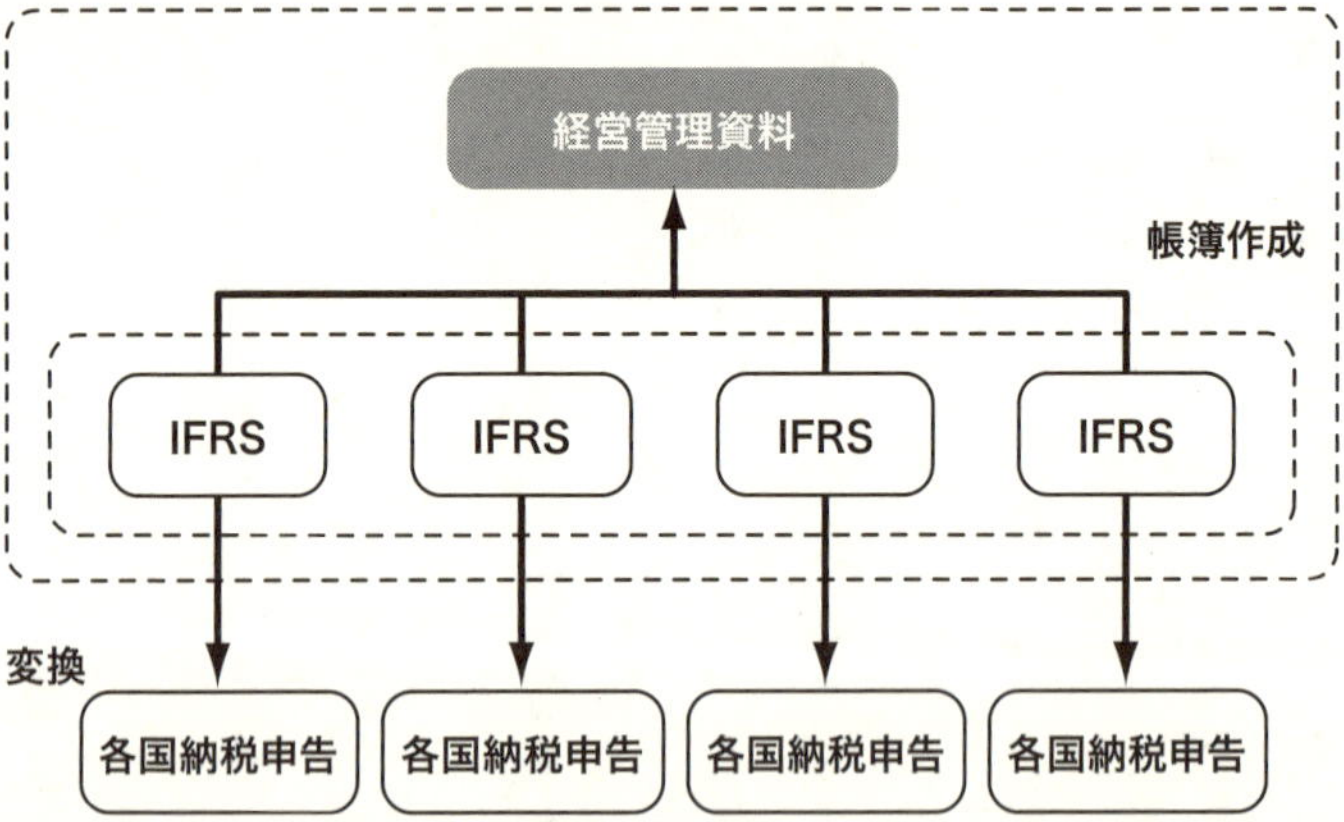

経営者にとって IFRS という共通言語をもつことにより子会社の業績評価が同じモノサシでタイムリーに実施できます。

もし、強制適用がなされた場合、約３７００社の上場企業はその対象になることは明らかです。しかし、本邦には250万社を超える株式会社があると言われています。その250万社すべての株式会社が国際会計基準の対象になるのかについては、最近の流れをみると日本の会計基準が温存されるようです。

もちろん、日本の会計基準が認められるからといって海外進出する中小企業が日本の会計基準に固執することは勧められません。国際会計基準を採用して、損益計算の面ではグローバルスタンダードに則るが、開示の面では多少グローバルスタンダードから見劣りする程度のものが費用と効果を考えるといちばん好ましいです。

海外に進出していちばん問題となるのが移転価格問題です。実際の移転価格があるべき移転価格か否かの検証は、税務会計の数値ではなく、財務会計の数値によって通常行われます。日本と米国を除いて、世界のほとんどの国では国際会計基準が一般に認められる公正妥当な会計基準になっています。ですから、進出先の移転価格リスクをモニターするために進出先それぞれの国の現地の会計慣行に従う必要はありません。移転価格リスクのモニターは、国際会計基準で作成された経営管理資料で実施することが合理的で、それで十分と考えます（図表1－10、図表1－11）。

キーワードその9　知識を得るには、おカネを使うことです

中小企業の経営者は、概ね、おカネの使い方に厳しいです。親から受け継いだ事業を守るため質実剛健な生活を強いられている経営者が、カネの使い方に厳しくなるのは当然です。

しかし、得てしてカネを使わないことが美徳となってしまっている中小企業の経営者に対して一言いわせてください。そのような中小企業がユニクロ的ビジネスモデルの構築のために超えなければならないハードルは案外高いからです。ユニクロ的ビジネスモデルの構築のためには、国際税務の知識が必要となると言いましたが、このような国際税務の知識を持った専門家は、日本に数百人程度しかいないと思われます。つまり専門家と称する人は、日本に何万人もいますが、一流の専門家（弁護士、公認会計士、税理士、コンサルタント）の数は非常に限られています。得意

[図表 1-12]

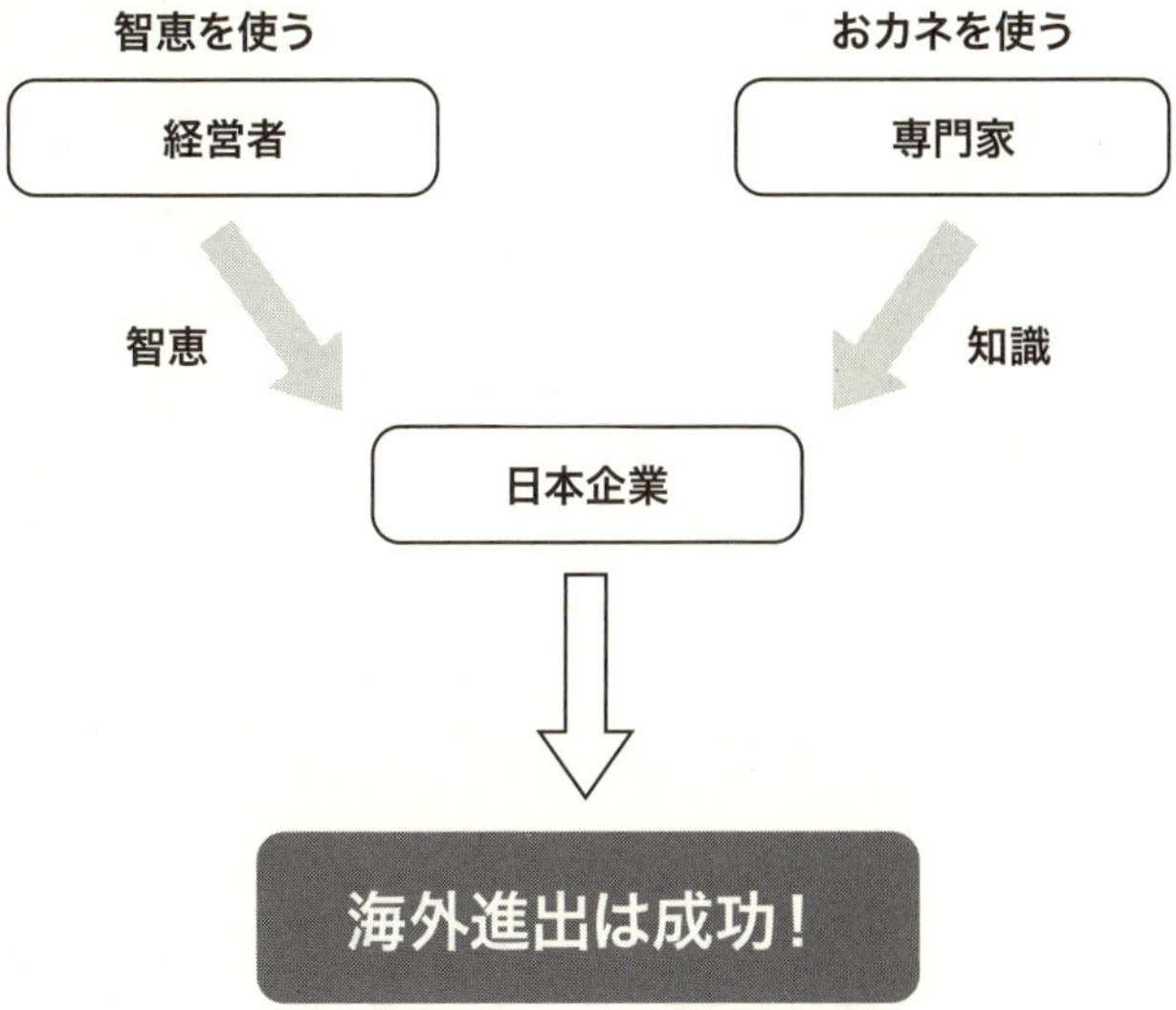

としているニッチ市場でのさらなる事業展開を図るには、ビジネスモデルの変更を必要とします。そのためには一流の専門家の知識を買うことが肝要です。あとは自分の智恵の働きを信じて、そして、自信を持ってビジネスモデルの変更を遂行すれば良いと考えます。**知識を得るには、おカネも使うこと**です。その点では惜しんではいられません（図表1—12）。

　先にも言いましたが、問題が起きてから外部の専門家に対して高い報酬を支払って、解決を図ろうとする傾向が日本の経営者にはままあります。しかし、それは事後の手当てにしかなりません。

問題が起きる前から準備をすることがベストということは言うまでもありません。

海外で成功するために——基本問題

ケーススタディ①　海外子会社での移転価格課税

Q 日本に比べて税率の低い国にある日本企業の現地法人が移転価格で問題になったと聞いています。低税率国の税務当局がなぜ日本企業の移転価格を問題にするのかよく分かりません。この点について教えてください。

A ご存知のように、本邦の法人税の実効税率は約40％です。それに比べて中国やＡＳＥＡＮ諸国の法人税率は20％から25％です。このことから、利益は日本で上げるより中国やＡＳＥＡＮ諸国で上げた方が得なことは、ビジネスマンから見れば自明なことです。節税に熱心な企業であれば、海外子会社から日本に輸入する製品の移転価格を高く設定すれば、海外子会社に利益を移転することができます。しかし、このような意図的な取引価格での利益移転による節税は勧められません。海外子会社との取引価格は**あるべき移転価格**で取引されなければなりません。そこで、自然体であるべき移転価格で取引することについて述べていきます。

現実の問題として、多くの日本企業の移転価格の設定方法は、あるべき移転価格になるようにはされていません。

多くの日本企業の海外子会社はそれぞれの市場で同業他社と互角に競争をし、時として、地場の企業はその市場から脱落して日系企業のみ市場に残っている場合も多く見受けられます。しかし、日本企業の海外子会社の損益を見てみると、赤字かブレーク・イーブンの場合が少なくないのです。このことは、税率の低い国の税務当局から見ると、日本企業は理解に苦しむ企業行動をとっていると映ります。この理解に苦しむ企業行動自体が、日本企業の設定する移転価格は作為的であるとの疑念を税務当局に抱かせます。なぜ税率の低い国に多くの利益が残るような移転価格が設定されないのでしょうか。

まず、日本企業の行動原理が外国での移転価格税制上の問題を生じさせていると考えられます。〝日本企業の良いものを安く売る〟という行動原理は、損しなければよいという考え方を容易に受け入れてしまいます。このような企業行動は市場の開拓には大いに貢献しますが、利益の獲得にはほとんど寄与しません。企業は付加価値を従業員、金融機関、投資家、そしてインフラストラクチャーを提供する国に適正に配分することが求められています。日本企業の行動原理は人件費の支払いと金利の支払いは保証しますが、配当の支払いと税金の支払いは保証しません。

次に、日本企業の業績評価の慣習もまた移転価格税制上の問題を生じさせていると考えられます。親会社の単体決算中心業績評価が依然として優先される慣習のもとでは、経営者は連結決算をよりよくしようとする必要がありません。親子間での粉飾まがいの取引を行い、そして親会社に利益を集め、不良債権を処理する受け皿に子会社が利用されているケースがままあります。当該子会社は多額の損を抱えることになる一方、親会社は多くの利益を計上することになります。しかし、これでは利益の適正な配分がなされません。その子会社が海外にあった場合、このような親子間の取引は、当該子会社が事業を遂行する国で移転価格税制上の問題を生じることになります。

残念ながら、ほとんどの日本企業は、多かれ少なかれ前記の問題を抱えています。このような状況のもと移転価格税制は、単に当該税制のもとで規定する独立企業間価格の算定方法を、最も合理的に選択したか否かという問題だけではなくて、日本企業の行動原理や日本企業の業績評価の慣習が諸外国から問われていることが問題となります。

企業の経営戦略と一体をなした移転価格の設定が必要になる理由は、ここにあります。第４章「戦略的移転価格対策」を参考にして下さい。

ケーススタディ② 海外子会社からの製品に対する関税

Q 海外の生産子会社から継続して製品を輸入しています。税関から当該子会社との取引価格の妥当性を検討したいとの問い合わせを受けましたが、どう対処したら良いでしょうか。なお、弊社の価格設定は、専門家の意見を取り入れて設定しております。

A まず、注意していただきたい点があります。**通関価格が問題にされて更正されるリスクと移転価格が問題にされて更正されるリスクは、相反する**ことです。貴社の場合、通関価格が低いほど関税は安くなります。ですから、関税当局は、貴社が意図的に通関価格を低く設定していると疑ってかかります。低い通関価格は、税関当局によって更正されるリスクを持ちます。一方、移転価格が低いほど、貴社の利益は大きくなり、日本で支払う課税所得も大きくなります。低い移転価格は、日本の税務当局（課税庁）から歓迎され、更正されるリスクがありません。その関係を示したのが次の表（図表1－13）です。

次に、関税の評価額の基本原則を述べます。基本原則は、**現実支払価格**です。しかし、この基本原則は、売手と買手が特殊な関係にないことが必要です。特殊な関係とは、当に、親子関係です。

[図表 1-13]

●関税と移転価格の関係

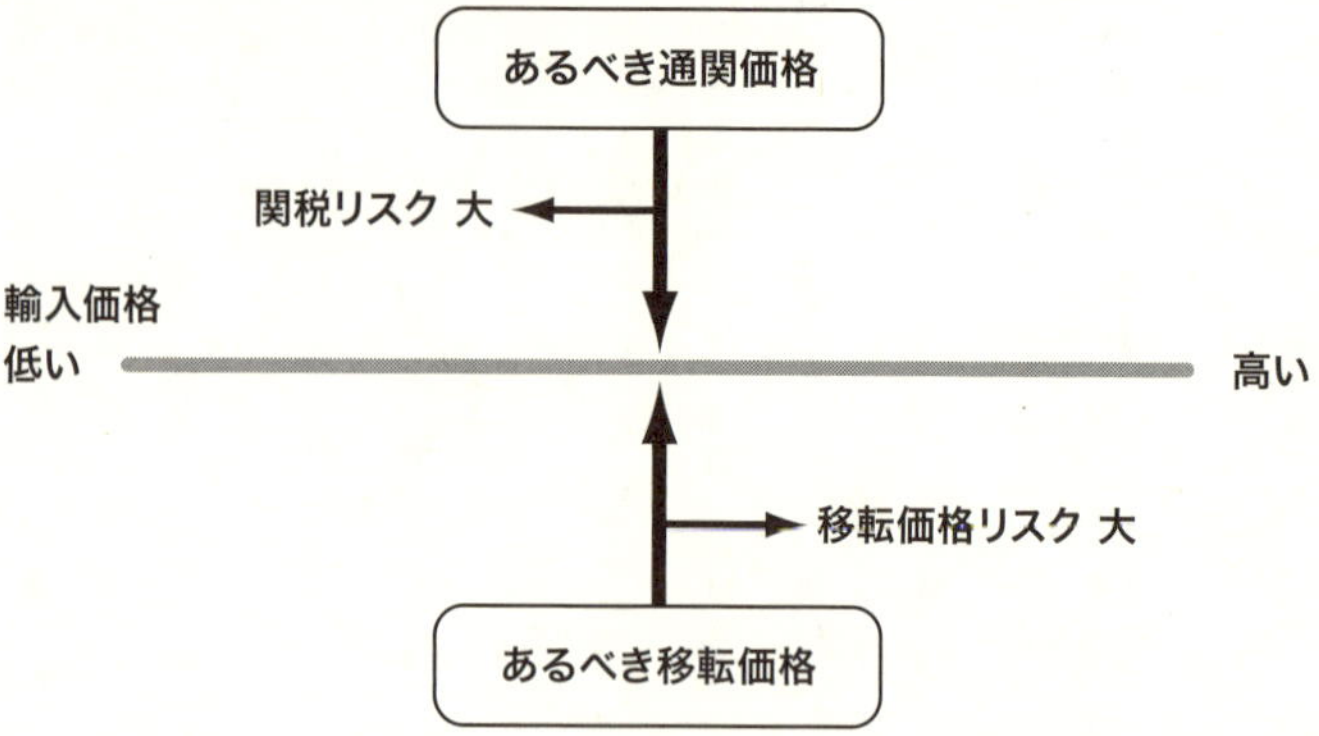

特殊な関係[1]が取引価格に影響を及ぼしていないと認められる時は、現実支払価格が使用できます。しかし、その立証責任は、輸入者である貴社にあります。特殊な関係が取引価格に影響を及ぼしていないことを客観的に証明することは、大変難しいです。

実務的には、**あるべき移転価格**算定のために使用される方法が**あるべき通関価格**算定のために準用されます。ですから、貴社のように専門家の意見を取り入れて決定した価格設定で取引している場合は、その方法を準用することで通関価格の妥当性を検証できると考えます。このため、関税上の通関価格が問題にされて更正されるリスクは少ないと解します。貴社の場合、挙証責任にどう対処するかにあります。つまり、**あるべき通関価格**の観点から、当該資料を再整理することをお勧めします。

ケーススタディ③　非関税障壁について

Q　**日本では、ＪＩＳマークの付いた製品は、市場において高品質の製品と取扱われます。海外で製品を販売する場合、ＪＩＳマークがそのまま使用できますか？あるいは、別のマークを使用することが求められますか？**

A　この質問は、非常に大事な質問です。ＪＩＳマークをそのまま使用することはできません。しかし、各国にＪＩＳマークと同様のマークがあり、そして、そのマークが無ければその市場で販売できないことがあります。製品を輸出する立場の経営

1　関税定率法施行令1の6

者から見れば、これらマークは、非関税障壁となります。ヨーロッパと米国を例にとります。

ヨーロッパ連合（ＥＵ）地域で販売される指定製品に貼付を義務づけられている安全マークがＣＥマークです。

このＣＥマークは欧州共同体閣僚理事会から指令（ＥＣ指令）が出され、その指令が示す安全規制に適合した製品だけが貼付できます。指令は製品の分野別に複数存在します。しかし、この指令はいまだ未完成であるため、これからも新しい指令が出てくることが予想されます。また、いったん出た指令に関しても、後から内容が追加されたり、変更されたりする可能性があるので常に新しい情報に注意しておく必要があります。指令有効日以降、指令に適合していない製品の販売がＥＵ地域では禁止となります。輸出するにはＣＥマークの取得が必要となります。

米国では、ＵＬマーク（Underwriter's Laboratories Incorporatedが発行する証明書）があります。

消費者は、ＵＬマークを安全の目安にすることが習慣になっており、このＵＬマークの有無が製品選定の指針になっています。つまり、日本の消費者がＪＩＳマークに対して持つ安心感と同等の安心感を米国の消費者に与えるものです。いくら良い製品でも、ＣＥマークやＵＬマークがなければ、ＥＵとか米国でその製品の販売ができなくなります。このため、移転価格課税、関税のみならず、このような点にも目配りが必要となります。

第８章「非関税障壁」を参考にして下さい。

ここは私が解説します。

Chapter 2

第2章　日本の移転価格税制とその運用

日本の移転価格税制とその運用

ケーススタディ① 移転価格税制の基本

Q 日本の移転価格税制の概要を簡単に教えて下さい。

A 海外事業を展開する中小企業のビジネスモデルとして、海外にある自社の生産工場から製品を仕入れ、そして、その製品を海外現地法人に販売し、海外現地法人が海外の得意先、消費者に販売するという形態を採用しているものが多く見られます。その場合、親会社と海外現地法人との仕切り価格は、当事者間で決めることができます。

さらに、各国の税率等に乖離がある場合、税率の低い国に所得を集中させることにより、企業グループ全体としてのグローバルでの税負担の最小化を図ることも可能となります。つまり親会社と海外

[図表 2-1]

●移転価格税制

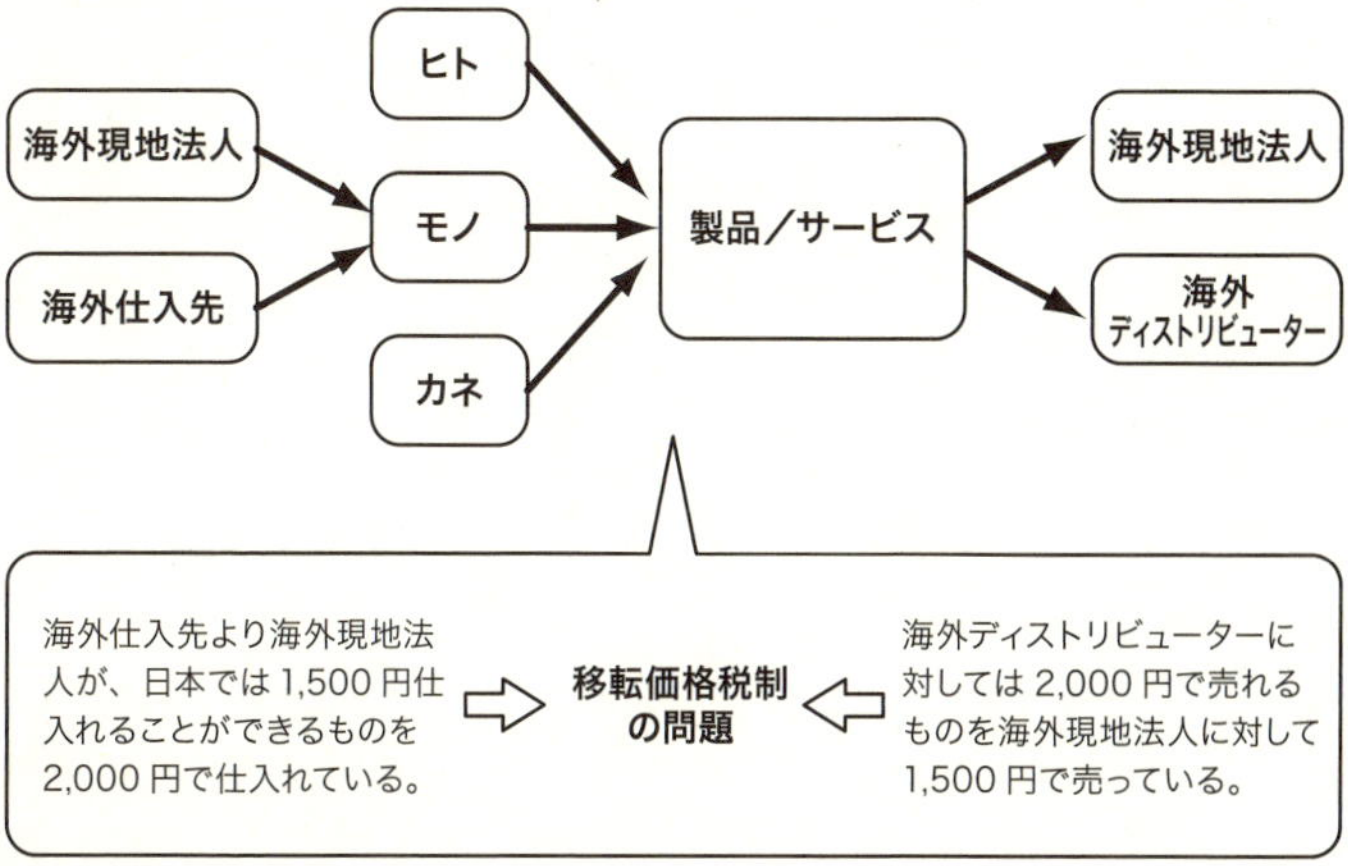

海外現地法人
海外仕入先
ヒト
モノ
カネ
製品／サービス
海外現地法人
海外
ディストリビューター
海外仕入先より海外現地法人が、日本では 1,500 円仕入れることができるものを 2,000 円で仕入れている。
移転価格税制
の問題
海外ディストリビューターに対しては 2,000 円で売れるものを海外現地法人に対して 1,500 円で売っている。

現地法人との仕切り価格を操作することで発生する租税回避行為を抑止する税制度が移転価格税制です（図表2―1）。

移転価格税制の基本は、次の3つに集約されます。

1．あるべき移転価格

親会社が海外現地法人との間で資産の販売、資産の購入、役務の提供その他の取引を行った場合に、当該取引（「国外関連者間取引」と呼ぶ）につき、輸出代金の受取りの額があるべき移転価格に満たないとき、又は、輸入代金の支払いの額があるべき移転価格を超えるとき、当該国外関連者間の取引価格についてはあるべき移転価格へ調整することが求められます[1]。

1　措法66の4

2. 国外関連者

親会社との間に次の関係のある外国法人を国外関連者と言います。

(a)一方の法人が他方の法人の株式等の50%以上を直接・間接に保有する関係

(b)両方の法人が同一の者によってそれぞれその株式等の50%以上を直接・間接に保有される関係

(c)一方の法人が他方の法人の事業方針の全部又は一部につき実質的に決定できる関係

通常は海外現地法人が国外関連者に該当します。

3. あるべき移転価格の算定方法

棚卸資産の販売又は購入に係る取引については、次のいずれかの方法により算定することとされています。それ以外の取引についてもこれらと同等の方法によることとされています。

（a）独立価格比準法

国外関係者間取引に係る棚卸資産と同種の棚卸資産を、国外関係者間取引と同様の状況の下で行われた非関連取引の対価の額をもって独立企業間価格とする方法。

（b）再販売価格基準法

非関連者への再販売価格から通常の利潤の額を控除して算出した額をもって独立企業間価格とする方法。

通常の利潤の額とは、当該再販売価格に通常の利益率を乗じて計算した金額とされています。また、通常の利益率とは、国外関係者間取引に係る棚卸資産と同種又は類似の棚卸資産に係る非関連者間の類似取引の売手（再販売者）の利益率を用います。

（c）原価基準法

製造等の原価に通常の利潤の額を加算して算出した額をもって独立企業間価格とする方法。

通常の利潤の額とは、当該原価の額に通常の利益率を乗じて計算した金額とされています。また、通常の利益率とは、国外関係者間取引に係る棚卸資産と同種又は類似の棚卸資産に係る非関連者間の類似取引の売手（製造販売者）の利益率を用います。

（d）その他の方法

その他の方法には、取引単位営業利益法とプロフィット・スプリット法（利益分割法）があります。その他の方法は、（a）～（c）の方怯が使用できない場合に限り、使用することができます。

●取引単位営業利益法

非関連者が製品の販売によって得られる営業利益と同様な営業利益率をもたらすような移転価格をあるべき移転価格とみなす方法。

●プロフィット・スプリット法（利益分割法）

関連会社間取引において得られる利益の総額を、その利益の発生に寄与する何らかの合理的な比率により按分する方法。

ケーススタディ②　国外関連者の範囲

Q　50／50の海外ジョイントベンチャーは国外関連者ですか。

A　50／50の海外ジョイントベンチャーは定義によれば、国外関連者に該当します。

しかし、50／50のジョイントベンチャーの場合、一方の株主が当該ジョイントベンチャーの仕切り価格を自由に設定する単独の決定権を持たず、双方の株主間の交渉の末に仕切り価格が決定されるケースも多々見受けられます。このように、株式を50%以上保有していたとしても、実質的支配力が及ばない場合には、移転価格税制を適用すべきではないとの指摘がなされていました。[2]

しかしながら、たとえ交渉相手に第三者が含まれており、厳しい価格交渉によって取引価格が決定されていたとしても、その事実のみでは、当該国外関連取引が非関連者間取引と同様の条件で行われた根拠とはならない、ということを税務当局は

2　2010年度（平成22年度）の税制改正大綱で、「独立企業間価格の算定及び検証に当たり、国外関連者との間の取引価格の交渉過程等の検討を要する場合に特に留意すべき事項等を運用において明確にする。」ことが明記され、これに従い、国税庁は2010年6月22日付けで「移転価格事務運営要領」の一部改正を行っています。
具体的には、改正後の移転価格事務運営要領2―2（3）において、「国外関連取引に係る対価の額が当該国外関連取引に係る取引条件等の交渉において決定された過程等について、次の点も考慮の上、十分検討する。」ことが示され、そして、50／50の海外ジョイントベンチャーに関連するものとして、2―2（3）ロで、「法人又は国外関連者が複数の者の共同出資により設立されたものである場合には、その出資者など国外関連取引の当事者以外の者が当該国外関連取引に係る取引条件等の交渉の当事者となる場合があること。また、当該交渉において独立企業原則を考慮した交渉が行われる場合があること。」ということが明示されました。50／50のジョイントベンチャーの場合で、双方の株主間の交渉の末に仕切り価格が決定されるケースはこのロに該当し、このような場合にはその交渉過程を考慮の上、十分検討することが移転価格事務運営要領で明らかにされました。

明確に示しております。税務当局に対抗するにあたっては、納税者側で比較対象取引等を探し、対象とされた国外関連取引に係る対価の額が独立企業間原則に従っていることを証明していくことが50／50の海外ジョイントベンチャーでは必要となるものと思われます。

ケーススタディ③　独立価格比準法

Q　独立価格比準法の具体例を教えて下さい。

A　たとえばアメリカにおいて事業展開する場合、自社の体力では全米において販売体制をとることができないのでカリフォルニア地区（CA地区）に子会社をおき、ニューヨーク地区（NY地区）は地場の業者に任せることにした場合のアメリカ子会社に輸出する製品の仕切り価格の設定は独立価格比準法が採用できます。

　あるべき移転価格の算定にあたってポイントとなる点は、入手可能な比較対象取引（国外関連取引と同種の棚卸資産を第三者から購入、製造その他の行為により取得した者が当該棚卸資産を別の第三者に対して販売した取引）を見つけ出せるか否かにかかっています。

比較対象取引に該当するための必要な要件は、次のとおりです。

・第三者（特殊の関係にない買手と売手）との取引であること。

・第三者取引が海外子会社（国外関連者）に販売している製品と同種の製品の取引であること。

・第三者取引が海外子会社（国外関連者）との取引と比較して取引段階、取引数量等が同等なものであること。

この場合、NY地区の地場の業者への販売は前記3つの条件をすべて満たすものと考えます。このような場合は、当該業者への仕切り価格をもって、国外関連者に対するあるべき移転価格とする方法を採用すればいかがかと思います。この方法を独立価格比準法と呼んでいます。参考のため、租税特別措置法（以下・措法）第66条の4で定めている独立価格比準法の定義をここに引用します。

[図表 2-2]

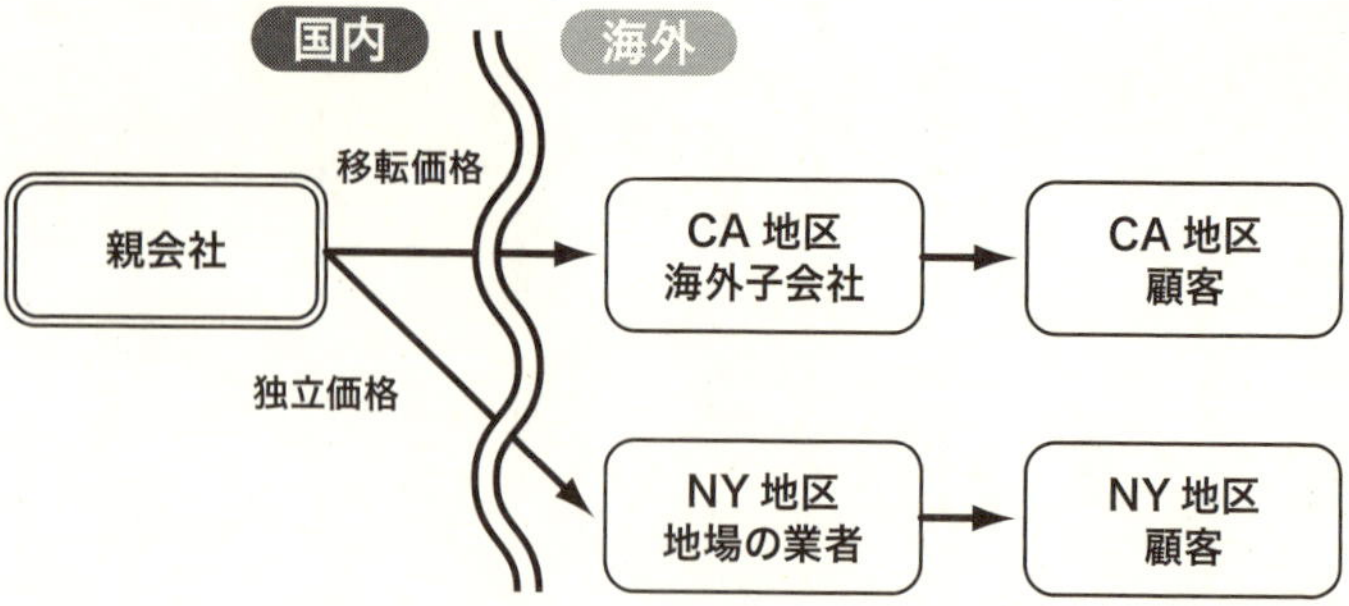

> 「独立価格比準法とは特殊の関係にない売手と買手が、国外関連取引に係る棚卸資産と同種の棚卸資産を当該国外関連取引と取引段階、取引数量その他が同様の状況のもとで売買した取引の対価の額に相当する金額をもって当該国外関連取引の対価の額とする方法をいう。」

税務当局からＮＹ地区の地場の業者を比較対象企業として選んだことの妥当性について、疑念を持たれないこの独立価格比準法は、税務対策上、この会社に最も適した算定方式であると考えます。別言すれば、独立価格比準法以外の方法を採用した場合、税務当局はその方法に基づく移転価格を認めないでしょう。

なお、ＮＹ地区の地場の業者への販売価格を子会社に対する移転価格にするのであれば、あまりに智恵がないのではないかとお考えになるかと思います。しかし、子会社に対する移転価格の設定範囲は輸出製品だけではありません。モノだけでなくサービスもその範囲に入ります。本社経営陣の人的役務の提供の部分は、なんらかのサービス料として当該子会社から受け取るべきでしょう。このサービス料も、税務上問題ないように設定する必要があります。

移転価格の問題は、製品だけでなくすべての範囲に及んでいます。この会社の海外事業展開を図るにあたって、すべての範囲にわたる親子間の財貨およびサービスの流れを調べた上で、移転価格は戦略的に設定する必要があります。

ケーススタディ④　再販売価格基準法

Q 弊社は、家庭用電気製品の製造販売をしています。弊社の製品は、世界中に点在する弊社の販売子会社に輸出されています。当該販売子会社はディストリビューターとして機能しています。

各国の販売子会社に輸出する製品の仕切り価格の最も合理的な設定方法を教えてください。

A 貴社の場合、製品の輸出はすべて国外関連者に対して行っており、貴社が直接独立の第三者に製品を輸出しているケースはないものと考えます。このような状況のもとでは、独立価格比準法を採用することはできないと考えます(図表2—3)。

次に、原価基準法を採用できるか否か考えましょう。原価基準法とは、貴社の製品製造原価に適正利益を加算して移転価格を算定する方法です。この方法は結果として親会社の利益(グロスマージン)を保障することになり、貴社の販売子会社の利益(グロスマージン)を保障することにはなりません。このことは、ビジネスリスクの大きな部分を、親会社でなく子会社が負担していることになります。製品の設計から製造、さらにはマーケティングまで遂行している親会社がビジネスリスクをとらないような移転価格設定方法は、合理的とはいえません。

次に、再販売価格基準法の適用を考えてみましょう。再販売価格基準法とは、貴

[図表 2-3]

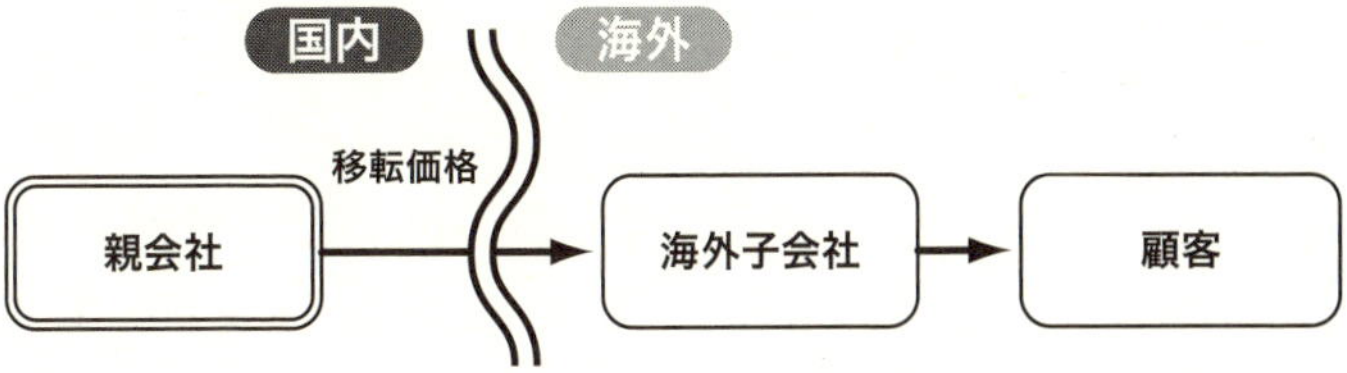

社の販売子会社が第三者に販売した価格から、当該子会社が獲得すべき適正利益を差し引いた価格を移転価格とする方法です。この方法は、結果として当該子会社の利益（グロスマージン）を保障することになります。

さらに、販売子会社のディストリビューターという機能を考えてみましょう。ディストリビューターは製品自身の付加価値を高めるような機能を果たしていません。ディストリビューターはもっぱら商品の販売を目的として、在庫の管理、売掛金の回収管理およびその管理上のリスクを負っています。このような事業の特徴として、次のようなことがいえます。

「通常の経営能力を持った経営者が経営するディストリビューターの利益は、その事業に投下した資本の額と相関関係がある。」

このことから、本事例においては、販売子会社のグロスマー

[図表 2-4]

① 通常の利潤の額の算定：

$$\text{国外関連者の再販売価格} \times \frac{\text{比較対象取引の売上総利益の合計額}}{\text{比較対象取引の売上の合計額}}$$

② 独立企業間価格の算定：

国外関連者の再販売価格 − 通常の利潤の額

ジンを保障する再販売価格基準法が最も合理的な移転価格設定方法と考えられます。参考のため、措法第66条の4で定めている再販売価格基準法の定義をここに引用します。

「再販売価格基準法とは国外関連取引に係る棚卸資産の買手が特殊の関係にない者に対して当該棚卸資産を販売した対価の額から通常の利潤額を控除して計算した金額をもって当該国外関連取引の対価の額とする方法をいう。」

算式で示すと、図表2−4のようになります。

比較対象取引について独立価格比準法では「同種の棚卸資産」となっていますが、再販売価格基準法では「同種または類似の棚卸資産」というようになっていて、必ずしも同種の製品に限定していません。これは、再販売価格基準法が棚卸資産の物理的類似性よりも、国外関連者及び比較対象企業の果たす機能の類似性に着目した方法であることによります。このため、比較対象取引を選定するにあたっては、比較対象企業となり得る同業他社のディストリビューターの情報が必要になります。

この場合、同業他社としてまず思いつくのは貴社の競争相手の日系企業ではないかと想像します。しかし、これら日系企業を比較対象企業とすることはできません。それはこれら同業他社のディストリビューターの仕入れ価格は、それぞれの親会社の移転価格に依存しているからです。

比較対象取引とは非関連者（特殊の関係にない者：国外関連者に対比する概念）から購入、製造その他の行為により取得した者が当該同種または類似の棚卸資産を非関連者に対して販売した取引です。親会社の移転価格に依存している日系企業は、比較対象取引で求められる非関連者ではありません。このため、現地のディストリビューターから比較対象取引を選ばなくてはなりません。

しかしながら、外国で現地のディストリビューターの情報を入手し、比較対象企業を選ぶことが大変であるということは十分想像できると思います。

ディストリビューターの利益は、その事業に投下した資本の額と相関関係があるということを考えると、ディストリビューターは営業利益の段階でもある一定の利益が出ることを意味しています。そこで、再販売価格基準法だけではなく、後述する取引単位営業利益法も検討に値するあるべき移転価格の算定方法と考えられます。

ケーススタディ⑤　原価基準法

Q 弊社は自動車関連部品の製造販売をしています。急速な円高が進む中で、弊社の製品を輸出すればするほど赤字が増える状況になっています。生き残るには、企業のリストラは避けて通れない道になってきました。

海外に生産子会社を設立し、そこで製造した製品を輸入することを考えています。海外子会社から製品を輸入する際の合理的価格の設定方法を教えてください。

[図表 2-5]

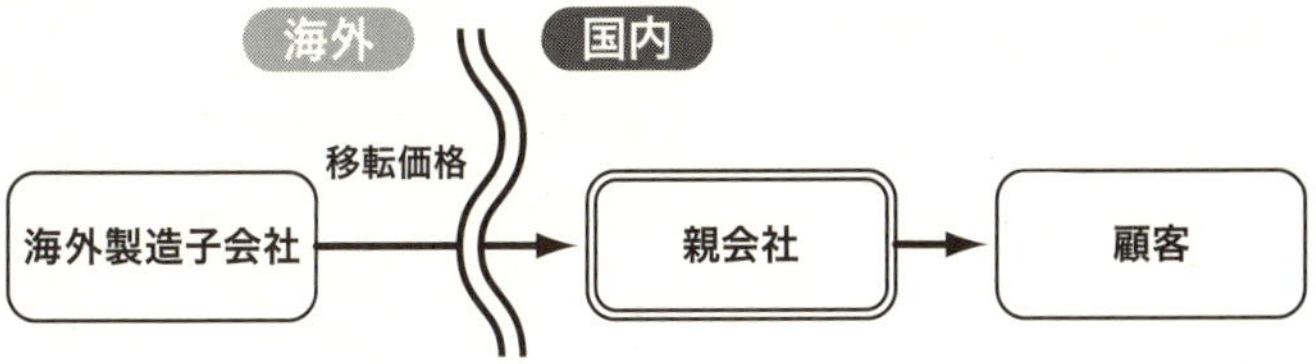

A 貴社が、貴社の生産子会社が生産する製品と同じ製品を第三者から仕入れている場合は、独立価格比準法を採用する余地があると思います。しかし、本件の場合、貴社が生産していた製品を当該子会社に生産させ、その子会社のみから製品を仕入れるというのであるから独立価格比準法を採用できる可能性はないと考えます。そこで、再販売価格基準法の採用の可能性について検討してみましょう。

この方法は、貴社が第三者に製品を販売した価格から貴社が獲得すべき適正利益を差し引いた価格を移転価格とする方法です。この方法は、結果として貴社の利益（グロスマージン）を保障することになりますが、当該生産子会社の利益（グロスマージン）の額は保障しません。

しかし、当該生産子会社が製造する製品の開発、設計、製

[図表 2-6]

① 通常の利潤の額の算定：

$$\text{国外関連者の製品製造原価} \times \frac{\text{比較対象取引の売上総利益の合計額}}{\text{比較対象取引の売上原価の合計額}}$$

② 独立企業間価格の算定：

国外関連者の製品製造原価 ＋ 通常の利潤の額

造上のノウハウ等は貴社より技術移転したものであると考えますと、貴社の生産子会社が創り出す付加価値（主に労務費、減価償却費）を基に適正利益を算定することは可能であると考えます。まして、貴社からの単なる委託により生産をしている場合であれば、適正利益の算定はより容易になるでしょう。

貴社の生産子会社の担う機能を考えると、貴社のグロスマージンを一義的に確保する再販売価格基準法より、当該生産子会社のグロスマージンをより合理的に確保する原価基準法の方が望ましいと思います。

参考のため、措法第66条の4で定めている原価基準法の定義をここに引用します。

「原価基準法とは国外関連者取引に係る棚卸資産の売手の購入、製造その他の行為による取得の原価の額に通常の利潤の額を加算して計算した金額をもって当該国外関連取引の額とする方法をいう。」

算式で示すと、図表2−6のようになります。

比較対象取引について独立価格比準法では「同種の棚卸資産」となっていますが、原価基準法では「同種又は類似の棚卸資産」となっており、必ずしも同種の製品に限定していません。これは、再販売価格基準法が棚卸資産の物理的類似性よりも、国外関連者および比較対象企業の果たす機能の類似性に着目した方法であることによります。このため、比較対象取引を選定するにあたって、当該生産子会社の立地する国で、当該子会社と同様な事業をしている現地企業をさがす必要があります。

どの方法を採用するにしても比較対象取引をさがし出すことが最も大事ですが、このさがし出す作業が最も困難なことです。外国にあるこのような取引を選定する作業には、特に、その国の事情をよく知ったエコノミスト、証券アナリスト等の利用が不可欠になります。

なお、委託製造の場合、特に、その海外子会社の利益は、その事業に投下した資本の額とかなり相関関係があります。そのような会社の販売費・一般管理費は相対的にわずかな金額ですので営業利益の段階でもある一定の利益が出ることを意味しています。そこで、原価基準法だけではなく、後述する取引単位営業利益法も検討に値するあるべき移転価格の算定方法と考えられます。

ケーススタディ⑥　その他の方法――取引単位営業利益法

Q　取引単位営業利益法も検討してみたいです。具体的な適用方法について、説明して下さい。

A　取引単位営業利益法は、租税特別措置法施行令（以下・措令）第39の12⑧二および三でその内容を定めており、そこでの定義をここに引用します。

「法人が国外関連者に製品を販売する場合、その取引に係る棚卸資産と同種の棚卸資産を購入する第三者が当該製品の販売（国外関連者取引と取引段階、取

[図表 2-7]

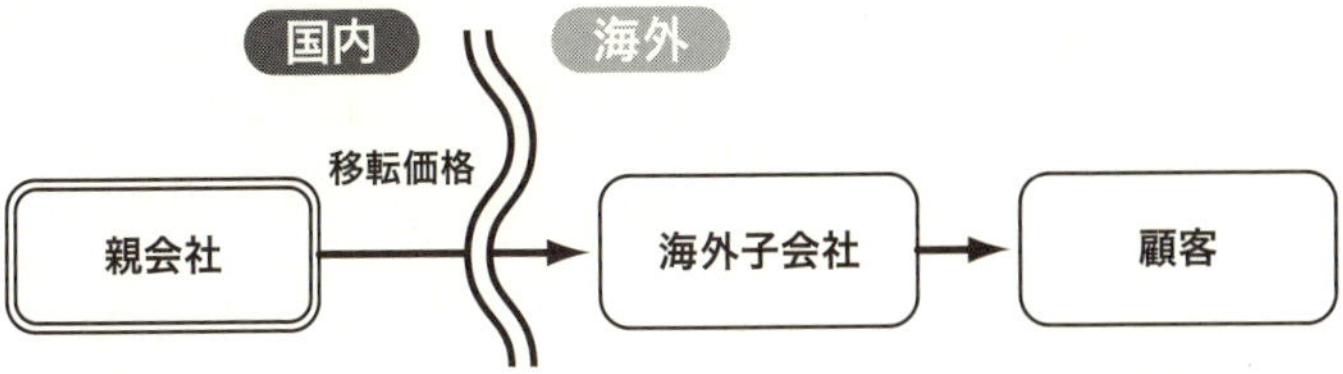

引数量、その他の条件が同様の状況のもとで売買した場合）によって得られる営業利益と同様な営業利益率をもたらすような移転価格を独立企業間価格とみなす方法をいう。」

取引単位営業利益法については、貴社のように海外子会社が再販売を行う場合には、海外子会社を基準とし、その比較対象取引に係る売上高営業利益率を用いて独立企業間価格を算定することになります。

具体的には、海外子会社が顧客に販売した販売価格に比較対象取引の売上高営業利益率を乗じたものに再販売に要した販売費及び一般管理費の額を加算し、この金額を顧客に販売した販売価格から控除したものをあるべき移転価格とする方法です。

算式で示すと、図表2－8のようになります。

[図表 2-8]

① 通常の営業利益の額の算定：

$$\text{国外関連者の再販売価格} \times \frac{\text{比較対象取引の営業利益の合計額}}{\text{比較対象取引の売上の合計額}}$$

② 独立企業間価格の算定：

国外関連者の再販売価格 − (通常の営業利益の額 ＋ 販売費及び一般管理費の額)

取引単位営業利益法は、措法第66条の4で規定したあるべき移転価格の算定方法ではありません。この方法は、措令39の12⑧で定められています。この意味は、基本三法である独立価格比準法、再販売価格基準法、原価基準法が適用できないとき、初めて採用することができるということです。

経験則から言えることは、同業他社間の売上総利益率のばらつきに比べて、営業利益率の方がそのばらつきは少ないです。このため、再販売価格基準法の適用を可能とする比較対象取引を探す難しさに比べて、取引単位営業利益法の適用を可能とする比較対象取引は比較的容易に探すことができるでしょう。

なお、取引単位営業利益法での営業利益率は、取引単位の営業利益率が使用されます。米国の利益比準法(CPM)

は、取引単位の営業利益率でなく会社単位の営業利益率で比較する方法です。

ケーススタディ⑦　その他の方法――プロフィット・スプリット法

Q　プロフィット・スプリット法の説明をしてください。

A　プロフィット・スプリットとは、関連会社間取引において得られる利益の総額を合理的とみなされる何らかの比率により按分する方法です。プロフィット・スプリットには移転価格税制上、2つの側面があります。1つは利益の配分の仕方の妥当性を検証する側面と、もう1つは移転価格算定方式としての側面です。貴社では貴社と関連会社それぞれが獲得した利益実績を比較しているとの事ですので、貴社が行っているプロフィット・スプリットは前者に相当します。ですから、貴社の行っているプロフィット・スプリットをそのまま移転価格算定方式にすることは妥当ではなく、また「その他の方法」としても認められないでしょう。

[図表 2-9]

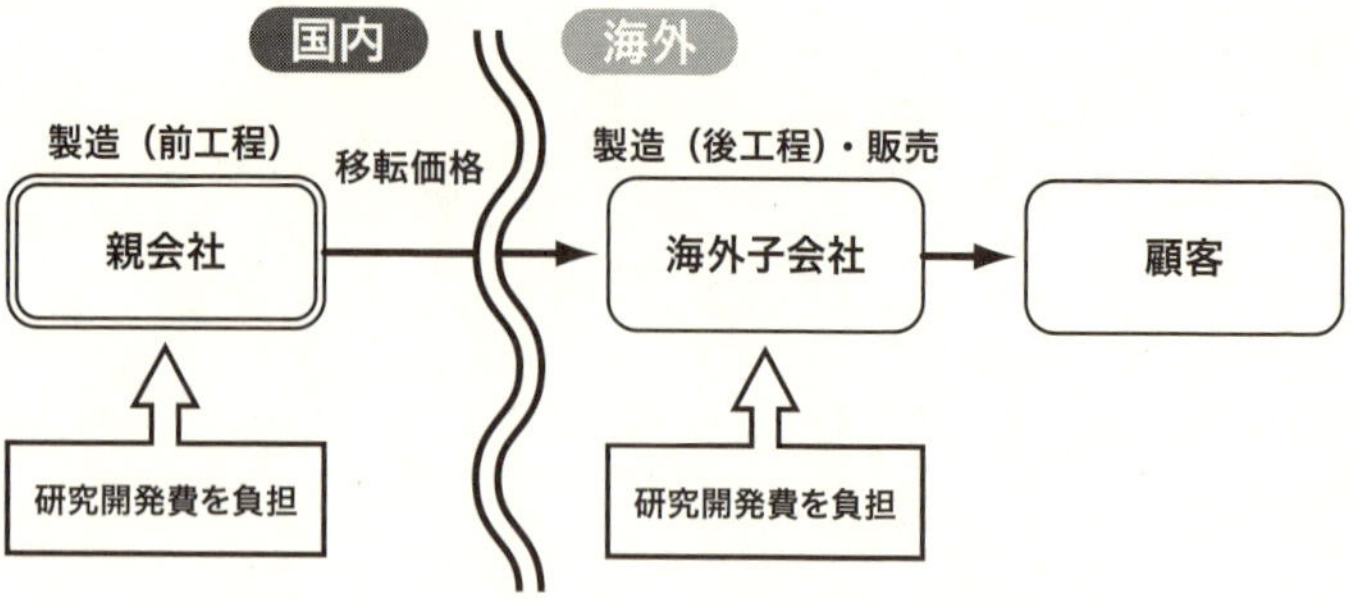

それでは検証方法としてのプロフィット・スプリットと、移転価格算定方式のプロフィット・スプリットではどこが違うのでしょうか。基本的な違いは、機能分析を行い、その利益の発生に寄与したと思われる合理的な要素によって配分を行っているか否かの違いにあります。ここでの説明は、移転価格算定方式のプロフィット・スプリット法の説明をしますので、その前提として機能分析の実施を必要とすることを忘れないでください。また、プロフィット・スプリット法は、独立価格比準法、再販売価格基準法、原価基準法、のいずれかの方法を採用することができないことを検証した後でなければ、実務的には採用できません。

プロフィット・スプリット法には次の方法があります。

①寄与度利益分割法
②比較利益分割法
③残余利益分割法
④その他の方式

実務上、広く採用されているプロフィット・スプリット法は、残余利益分割法ですので、ここでは、残余利益分割法の説明をします。残余利益分割法は、親会社と海外子会社の両社が相応の研究開発費を負担している場合に通常採用される方法です（図2―9）。そして、その算定は、次のような手順で行われます。

まず、当該取引にかかわる全体の利益から普遍的事業活動から発生する利益を算定します。そして、その普遍的事業活動から発生する利益を関連者間で按分しそれぞれに配分します。次に残余の利益、すなわち、全体の利益から普遍的事業活動から発生する利益を差し引いた残りの利益を、無体財産権を提供した関連者に帰属させます。無体財産権の提供を両者がしている場合は、提供した当該権利の価値に応じて利益を按分し、それぞれに配分します。もう少し詳しく説明しましょう。

「日本の洗剤製造メーカー（A社）は、生産・販売活動をし、米国では子会社を通じて製品の販売をしています。A社は新しい洗剤の開発、そして、米国子会社は米国仕様にするための製品開発と米国市場に対するマーケティングを担当しております。このことは、無体財産権の提供を両社がしていることを意味しています。

A社の帳簿上の営業利益は200、米国子会社の帳簿上の営業利益は300でした。そうすると合算利

[図表 2-10]

●あるべき移転価格

	営業利益		A 社	米国子会社
合算利益	500			
普遍的事業活動に帰属する利益①	△200	⇒	150	50
残余利益	300	按分率 2:1		
無体財産の貢献に基づく利益②	△300	⇒	200	100
	0		350	150

あるべき移転価格

①同業他社の内、委託製造、問屋形態の販売をする企業の利益率をもとに算定する

②それぞれの会社貢献度（例えば、研究開発費の支出の高さに応じて割り振る）

益は500です。普遍的事業活動から発生する利益は、A社が150、米国子会社が50とします。そうしますと残余の利益300が無体財産権の提供をした両者に按分する利益になります。A社の開発コストは全体の2／3で、米国子会社のそれは残りの1／3でした。このことより、残余の利益は2対1の割合で按分されることが妥当であると判断されました。その結果、200がA社の取り分です。残り100は米国子会社に帰属します。

コーヒーブレーク

移転価格税制導入の背景

企業の国際化はまず、自社製品を直接外国の得意先に輸出することから始まり、次に、現地に子会社を設立し、その子会社を自社製品販売の拠点にします。そして、すべての製品はその子会社をとおして販売するようになります。このような段階まで企業の国際化が進むと、当然のこととして、企業はワールドワイドでの利益を最大にする施策を立案することになるでしょう。

それを可能にするのは、自分の思いどおりになる海外子会社の存在です。子会社との取引価格を恣意的に設定すれば、海外子会社との取引を通じて、企業は所得をより政情の安定した国、為替管理の自由な国、あるいは税率の低い国に移転するこ

とが可能となります。この行動は企業として見れば合理的な行動ですが、各国の税務当局から見れば課税権の侵害をもたらす反合理的な行動です。

たとえば、日本企業が意図的に子会社との取引価格を安く設定すれば、子会社が設立された国に所得を移転させることが可能になります。この場合、日本国内での所得移転とは異なり、本来日本で課税されるはずの所得が海外に流出することになります。そこで、親子間の取引のような特殊関係企業間の取引について、課税権確保の観点からなんらかの歯止めが必要となります。

その歯止めとして、価格操作を規制する税制が各国で導入されるようになりました。その税制が移転価格税制です。つまり自由競争市場において同一または類似の条件のもとに同様な取引が第三者間で行われた場合の価格（独立企業間価格）を特殊関係企業間の取引に付する必要があります。この条件のもとで得られる適正利益をその取引に係わる所得の源泉が帰属する国で報告させます。そのことによって所得の海外移転を防止し、国際的な所得の適正配分を図ると同時に、当該取引に係わる国の課税権を確保することができます。

わが国の政府税制調査会は、移転価格税制導入について１９８５年12月17日付で答申を行っています。その答申の内容を、ここに引用します。

「近年、企業活動の国際化にともない、海外の特殊関係企業との取引の価格を操作することによる所得の海外移転、いわゆる移転価格の問題が国際課税の分野で重要になってきているが、現行法ではこの点について十分な対応が困難であり、これを放置することは、適正・公平の課税の見地から問題のあるところである。また諸外国において、既に、こうした所得の海外移転に対処するための税制が整備されていることを考えると、我国においても、これら諸外国との共通の基盤にたって、適正な国際課税を実現するため、法人が海外の特殊関係企業と取引を行った場合の課税所得計算に関する規定を整備するとともに、資料収集等、制度の円滑な運用に資するための措置を講ずることは適当である。」

この答申が移転価格税制を必要とする当時の状況を適切に表わしているものと思われます。そして、この答申に従って本邦の移転価格税制は１９８６年に導入され、「国外関連者との取引に係わる課税の特例」が新たに設けられました（措法第66条の４）。この規定がわが国における移転価格課税の規定です。

ワンポイントアドバイス

移転価格における文書化規定

文書化規定とは、納税者に対して、その採用した移転価格の算定方法等が独立企業間原則に従ったものであることを示す資料等を事前に準備・保管し、税務当局から要求があった場合には、遅滞なくこれらを提出することを義務付けるものです。この文書化規定をおいている国は、米国、中国等を含め多く存在しますが、これまで、わが国にはこの文書化規定は設けられていませんでした。しかし、2010年度（平成22年度）の税制改正において、税務当局から納税者に対して、移転価格調査時に独立企業間価格の算定に必要なものとして要求される書類の範囲が明確にされました。

独立企業間価格を算定するために必要と認められる書類として、租税特別措置法施行規則（以下・措規）第22条の10では、「国外関連取引の内容を記載した書類」および「国外関連取引に係る独立企業間価格を算定するための

ワンポイントアドバイス

書類」という2つの区分を設けています。

●国外関連取引の内容を記載した書類

●国外関連取引に係る独立企業間価格を算定するための書類

これまで、独立企業間価格の算定に必要な書類の範囲について明確な基準は存在しておらず、その必要性の有無の判断にあたっては調査官の裁量による側面が強いという問題が指摘されていました。当該改正は、必要書類に関して税務当局と納税者との認識を一致させ、移転価格調査の効率化を図ることを第一の目的とするものです。

なお、日本においては、依然として、他の国々（米国、中国、等）で定められている、資料等を事前に準備・保管しなかった場合の罰則規定、および、一定の期限（申告書の提出期限等）までに書類作成を義務付ける書類作成期限についての規定はおかれていません。しかし、わが国の移転価格税制においては、移転価格調査時に税務当局から要求された資料等を納税者が遅滞なく提示し、又は提出しなかった場合には、税務当局はシークレット・コンパラブルを利用することが認められており、当該改正によって、独立企業間価格の算定に必要な書類の範囲が明確にされたことで、納税者が要求された資料等を「遅滞なく」提示したか否かの判断基準となる「提出までの期間」がこれまでより短く設定される可能性は否定できません。このため、税務当局にシークレット・コンパラブルを利用されるリスクを避けるためには、事前にこれらの資料を準備しておくことが今まで以上に求められることとなります。

納税者が書類を作成するにあたっては、単に日本において上記の必要とされる書類を準備するというのではなく、国外関連者所在地国を含むグループ全体で整合性をもった妥当なものを作成することが移転価格のリスクを削減する上において重要となります。

文書化において必要とされる書類については、第4章「戦略的移転価格対策」を参照して下さい。

移転価格税制の条文の読み方

移転価格税制を定めた条文が租税特別措置法第66条の４（国外関連者との取引に係る課税の特例）です。この条文を理解することが移転価格税制全体を把握する近道であると考えています。そこで同条文の解説を鳥瞰図的に示しました。

第1項は、移転価格税制の対象となる国外関連者の範囲、および、移転価格税制の下での調整の方法を規定している。

国外関連者の範囲について、本邦企業及び国外関連者において、この「発行済株式の総数等の50％以上の株式を保有する関係」という基準が満たされている場合には無条件で移転価格税制の対象とされる。出資比率50％ずつの合弁企業の場合、たとえ、交渉相手に第三者である合弁企業のパートナーが含まれており、厳しい価格交渉によって取引価格が決定されていたとしても、その事実のみでは、当該国外関連取引が非関連者間取引と同様の条件で行われた根拠とはならない。独立企業間原則に従っていることが必要である。

移転価格税制の下での調整について、本邦移転価格税制は、国外関連者との取引の対価の額が、あるべき移転価格（独立企業間価格）と異なることにより日本での課税所得が減少している場合にのみ適用される（日本での課税所得が増加している場合には適用されない）。

移転価格税制は、国外関連者との取引の対価の額があるべき移転価格（独立企業間価格）で行われたものとみなして課税所得を計算しなおすというものであり、その対価の額そのものに介入するという制度ではない。

（国外関連者との取引に係る課税の特例）

第66条の4　法人が、昭和61年（1986年）4月1日以後に開始する各事業年度において、当該法人に係る国外関連者（外国法人で、**当該法人との間にいずれか一方の法人が他方の法人の発行済株式又は出資（当該他方の法人が有する自己の株式又は出資を除く。）の総数又は総額の100分の50以上の数又は金額の株式又は出資を直接又は間接に保有する関係**その他の政令で定める特殊の関係（次項及び第五項において「特殊の関係」という。）のあるものをいう。以下この条において同じ。）との間で資産の販売、資産の購入、役務の提供その他の取引を行った場合に、当該取引（当該国外関連者が法人税法第141条第1号から第3号までに掲げる外国法人のいずれに該当するかに応じ、当該国外関連者のこれらの号に掲げる国内源泉所得に係る取引のうち政令で定めるものを除く。以下この条において「国外関連取引」という。）につき、**当該法人が当該国外関連者から支払を受ける対価の額が独立企業間価格に満たないとき、又は当該法人が当該国外関連者に支払う対価の額が独立企業間価格を超えるとき**は、当該法人の当該事業年度の所得に係る同法 その他法人税に関する法令の規定の適用については、**当該国外関連取引は、独立企業間価格で行われたものとみなす**。

第2項は、移転価格算定方法の定義とその適用の優先順位を規定している。

移転価格算定方法を採用する場合には、まず、基本三法が優先されるという「優先順位」が定められている。

独立価格比準法とは、特殊な関係にない売手と買手が、国外関連取引に係る棚卸資産と同種の棚卸資産を当該国外関連取引と取引段階、取引数量その他が同様の状況のもとで売買した取引の対価の額に相当する金額をもってあるべき移転価格とする方法をいう。

再販売価格基準法とは、国外関連取引に係る棚卸資産の買手が特殊な関係にない者に対して当該棚卸資産を販売した対価の額から、通常の利潤の額を控除して計算した金額をもってあるべき移転価格とする方法をいう。

原価基準法とは、国外関連者取引に係る棚卸資産の売手の購入、製造その他の行為による取得の原価の額に、通常の利潤の額を加算して計算した金額をもってあるべき移転価格とする方法をいう。

2 前項に規定する独立企業間価格とは、国外関連取引が次の各号に掲げる取引のいずれに該当するかに応じ当該各号に定める方法により算定した金額をいう。

一 棚卸資産の販売又は購入　次に掲げる方法（ニに掲げる方法は、**イからハまでに掲げる方法を用いることができない場合に限り、用いることができる**。）

イ **独立価格比準法**（特殊の関係にない売手と買手が、国外関連取引に係る棚卸資産と同種の棚卸資産を当該国外関連取引と取引段階、取引数量その他が同様の状況の下で売買した取引の対価の額（当該同種の棚卸資産を当該国外関連取引と取引段階、取引数量その他に差異のある状況の下で売買した取引がある場合において、その差異により生じる対価の額の差を調整できるときは、その調整を行った後の対価の額を含む。）に相当する金額をもつて当該国外関連取引の対価の額とする方法をいう。）

ロ **再販売価格基準法**（国外関連取引に係る棚卸資産の買手が特殊の関係にない者に対して当該棚卸資産を販売した対価の額（以下この項において「再販売価格」という。）から通常の利潤の額（当該再販売価格に政令で定める通常の利益率を乗じて計算した金額をいう。）を控除して計算した金額をもつて当該国外関連取引の対価の額とする方法をいう。）

ハ **原価基準法**（国外関連取引に係る棚卸資産の売手の購

「準ずる方法」とは、基本三法の要件を満たしていないが、売上総利益を算定する上での取引内容に適合性があり、かつ、基本三法の考え方から乖離しない合理的な方法をいう。

その他政令で定める方法は、利益分割法、および、取引単位営業利益法がこれに該当する。

「同等の方法」とは、役務提供、使用料等の独立企業間価格の算定に用いられる方法で、基本三法と同様の考え方に基づく算定方法をいう。

第3項から5項は、移転価格税制の鳥瞰図的理解を深める観点からは、重要性がないので省略した。

第6項から8項は、シークレット・コンパラブルを利用することが出来るための要件を定めている。

あるべき移転価格（独立企業間価格）の算定に必要な書類については、2010年度の税制改正において、その範囲が、措規第22条の10で明記された。本章のワンポイントアドバイス「移転価格における文書化規定」を参照のこと。

入、製造その他の行為による取得の原価の額に通常の利潤の額（当該原価の額に政令で定める通常の利益率を乗じて計算した金額をいう。）を加算して計算した金額をもつて当該国外関連取引の対価の額とする方法をいう。）

ニ　イからハまでに掲げる方法に**準ずる方法その他政令で定める方法**

二　前号に掲げる取引以外の取引　次に掲げる方法（ロに掲げる方法は、イに掲げる方法を用いることができない場合に限り、用いることができる。）

イ　前号イからハまでに掲げる方法と同等の方法

ロ　前号ニに掲げる方法と**同等の方法**

6　国税庁の当該職員又は法人の納税地の所轄税務署若しくは所轄国税局の当該職員が、法人にその各事業年度における国外関連取引に係る第一項に規定する**独立企業間価格を算定するために必要と認められる書類として財務省令で定めるもの**（その作成又は保存に代えて電磁的記録（電子的方式、磁気的方式その他の人の知覚によっては認識することができない方式で作られる記録であって、電子計算機による情報処理の用に供されるものをいう。次項において同じ。）の作成又は保存がされている場合における当該電磁的記録を含む。）又はその写しの提示又は提出を求めた場合　において、納税者は、税務当局から資料の要求があった場合、原則的には、その要求資料等を可及的速やかに提出する必要があるとされている。その提出ができない納税者に対して、税務当局は推定課税を行うことができることを定めている。税務当局の要求資料の中には、納税者において存在していないものもあり、内容によっては、ある程度の準備期間が必要な場合もある。このような場合、税務当局は納税者の意見を聞いたうえで、準備に通常要する期間を斟酌して定めることとなっている。

当該法人がこれらを**遅滞なく提示し、又は提出しなかつたとき**は、税務署長は、次の各号に掲げる方法（第二号に掲げる方法は、第一号に掲げる方法を用いることができない場合に限り、用いることができる。）により算定した金額を当該独立企業間価格と推定して、当該法人の当該事業年度の所得の金額又は欠損金額につき法人税法第2条第39号に規定する更正（第15項において「更正」という。）又は同条第40号 に規定する決定（第15項において「決定」という。）をすることができる。

一　当該法人の当該国外関連取引に係る事業と同種の事業を営む法人で事業規模その他の事業の内容が類似するものの当該事業に係る売上総利益率又はこれに準ずる割合として政令で定める割合を基礎とした第二項第一号ロ若しくはハに掲げる方法又は同項第二号イに掲げる方法（同項第一号イに掲げる方法と同等の方法を除く。）

二　第2項第一号ニに規定する政令で定める方法又は同項第二号ロに掲げる方法（当該政令で定める方法と同等の方法に限る。）に類するものとして政令で定める方法

7　国税庁の当該職員又は法人の納税地の所轄税務署若しくは所轄国税局の当該職員は、法人と当該法人に係る

国外関連者が保存する帳簿書類又はその写しには、納税者の手元にはないケースも多々ある。当該規定は、このような場合において、納税者に当該帳簿書類又はその写しを入手するための努力義務を定めている。国外関連者が有する帳簿書類等であっても、措法第66条の4第6項の書類等に含まれるとして、当該帳簿書類又はその写しを提出しなかった場合には推定課税の適用対象とするという立場を税務当局はとっている。

移転価格税制は大量かつ頻繁に行われている関係会社間の取引の価格の妥当性を問題とする税制だけに、それを精査するためには、どうしても類似の事業を営む者から、第三者との取引価格や利益率等に関する情報収集が必要となる。法人税法153条から156条で定める質問・検査権限に関する規定の下では、法人税の調査対象法人とその取引先を調査する権限は認められているが、取引関係のない者に対する調査権限は認められていない。そこで、移転価格税制の執行に不可欠である比較対象企業（シークレット・コンパラブル）からの情報収集に法的根拠を与えることとし、質問検査対象企業の受忍義務違反に対しては30万円以下の刑罰を科することとされている（措法第66の4第11項）。

国外関連者との間の取引に関する調査について必要があるときは、当該法人に対し、当該国外関連者が保存する帳簿書類（その作成又は保存に代えて電磁的記録の作成又は保存がされている場合における当該電磁的記録を含む。以下この項、次項及び第十一項第二号において同じ。）又はその写しの提示又は提出を求めることができる。この場合において、当該法人は、当該提示又は提出を求められたときは、**当該帳簿書類又はその写しの入手に努めなければならない**。

8　国税庁の当該職員又は法人の納税地の所轄税務署若しくは所轄国税局の当該職員は、法人が第6項に規定する財務省令で定めるもの又はその写しを遅滞なく提示し、又は提出しなかつた場合において、当該法人の各事業年度における国外関連取引に係る第1項に規定する独立企業間価格を算定するために必要があるときは、その必要と認められる範囲内において、**当該法人の当該国外関連取引に係る事業と同種の事業を営む者に質問し、又は当該事業に関する帳簿書類を検査することができる**。

プロがプロに
教える
とことん
深煎り
柴田
coffee

わっ
まちがえたっ!?
ポップコーン
coffee

Chapter 3

第3章　各国の移転価格税制とその運用

各国の移転価格税制とその運用

1　移転価格税制におけるグローバル・スタンダード

ケーススタディ①　移転価格税制のグローバル・スタンダードとは

Q 移転価格税制には、グローバル・スタンダードがありますか？　もし、あるのであれば、日本の移転価格税制は、グローバル・スタンダードに沿っていますか？

A ＯＥＣＤの「多国籍企業及び税務当局のための移転価格ガイドライン（Transfer Pricing Guidelines for Multinational Enterprises and Tax Administrations）」、つまり**「ＯＥＣＤの移転価格ガイドライン」が移転価格税制のグローバル・スタンダード**です。ＯＥＣＤの移転価格ガイドラインは、１９７９年に作成され、その後、ＯＥＣＤでは、経済のグローバル化および技術の進歩等による国際経済の急激な変化に対応するために、租税委員会においてその検討を重ね、逐次ガイドラインの変更が公表されています。最近では、２０１０年７月に当該ガイドラインの改訂版が公表されました。

日本の移転価格税制は、ＯＥＣＤの移転価格ガイドライン公表に遅れること約10年、１９８６年に導入されています。導入にあたってＯＥＣＤの移転価格ガイドラインを参照しています。ですから、ＯＥＣＤの移転価格ガイドラインで述べられている移転価格の種々の取扱いは、日本の移転価格税制において採用されています。たとえば、日本の移転価格税制で基本三法と呼ばれる移転価格算定方式（独立価格比準法、再販売価格基準法、原価基準法）は、ＯＥＣＤの移転価格ガイドラインのそれと同等です。

このことは、日本の移転価格税制がグローバル・スタンダードに沿ったものを意味するのでしょうか。残念ながら、日本の移転価格税制は、グローバル・スタンダードからかけ離れたものになっています。まず、日本の移転価格税制は、当該税制が施行されて25年近く経つのに改定されていないことです。一方、ＯＥＣＤの移転価格ガイドラインは数回にわたって改定されています。つまり、この25年間に移転価格のグローバル・スタンダードはかなり変化しているのです。しかし、日本は、移転価格税制の抜本的な改訂をせずに、課税庁内部の通達、指令によって対応してきています。課税庁内部の通達、指令で対応することは、課税庁の論理が優先することとなります。このようなことが、時としてバランスを欠いた税務執行がなされる

[図表 3-1]

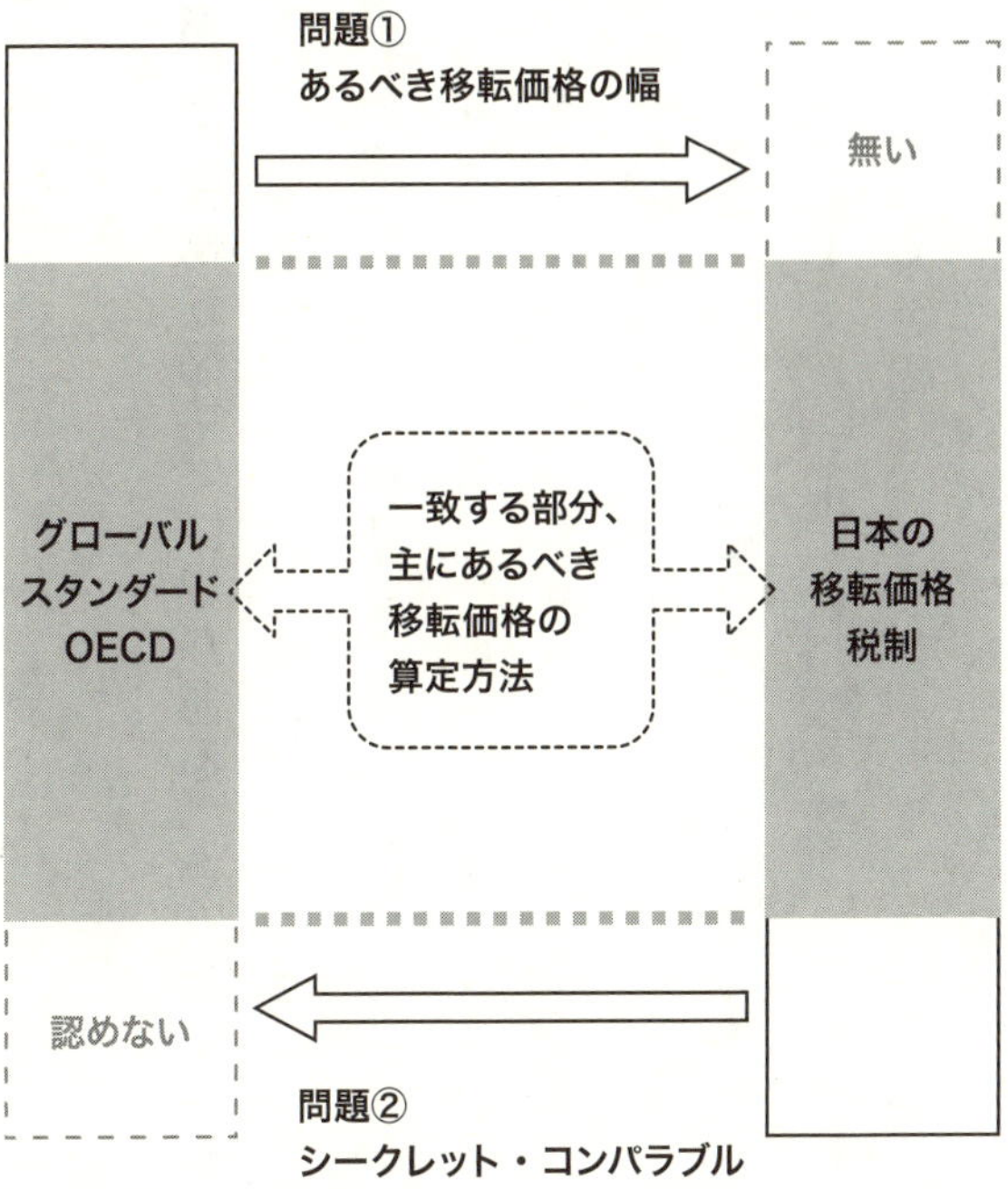

・中国、インド、ASEAN 諸国の移転価格税制は、幅を認めておりグローバルスタンダードな移転価格税制により近い

要因の一つとなっているのではないかと考えます。この点に関して、例を挙げると、移転価格の幅の問題やシークレット・コンパラブルの問題などが該当します（図表3−1）。

「あるべき移転価格には幅がある」がグローバル・スタンダードです。しかし、日本の移転価格税制には幅の概念がありません。私見ですが、幅の概念のない日本の移転価格税制は大問題です。さらに幅を認めないこと（「点」であるべき移転価格を算定するため、単独の比較対象取引を探すこと）と表裏一体ですが、グローバル・スタンダードでは認められないシークレット・コンパラブルの使用を日本の移転価格税制では認めています。

　あるべき移転価格算定にあたって、複数の比較対象取引が選定されます。そして、そこから導きだされる取引価格は複数あり、その複数の価格から生まれる幅をどのように取扱うかの問題、つまり「あるべき移転価格の幅の問題」があります。また、日本では、課税庁が質問検査権を行使して得た比較対象取引は納税者に開示されない問題があります。納税者に開示されない比較対象取引が「シークレット・コンパラブル」です。

シークレット・コンパラブルの使用は、申告納税制度の基本を揺るがす違法な取扱いと考えます。「ガラパゴスを出よう―巣ごもりは進化ゆがめる」という話しがあります。移転価格の分野において、日本のガラパゴス化は憂慮すべき状態です。

コーヒーブレーク

OECDとは

OECDはOrganization for Economic Co-operation and Developmentの略で、経済協力開発機構と訳されています。その本部はフランスのパリに置かれ、現在、OECDの加盟国は以下の30カ国となっています。

(1) EU加盟国（19カ国）

イギリス、ドイツ、フランス、イタリア、オランダ、ベルギー、ルクセンブルク、フィンランド、スウェーデン、オーストリア、デンマーク、スペイン、ポルトガル、ギリシャ、アイルランド、チェコ、ハンガリー、ポーランド、スロヴァキア。

（2）その他（11カ国）

日本、アメリカ合衆国、カナダ、メキシコ、オーストラリア、ニュー・ジーランド、スイス、ノルウェー、アイスランド、トルコ、韓国。

「OECDの特色について」OECDの作成した文章を引用します。

1 市場経済を原則とする先進諸国の集まりであること。

現在世界に150以上の国がある中で、OECD加盟国は30カ国、世界人口の18％を占めるに過ぎませんが、国民総所得では58％、貿易額では75％、海外援助額では96％を占めています。

2 政治、軍事を除き、経済・社会のあらゆる分野の様々な問題を取り上げ、研究・分析し、政策提言を行っている国際機関であること。

対象分野は具体的に述べれば、経済一般、貿易、投資、金融、財政、行政管理、競争、工業、農林漁業、開発援助、エネルギー、原子力、労働、高齢化、年金、医療、環境、科学技術、教育、農村・都市開発、運輸、観光などとなります。それぞれの問題が相互に影響を及ぼしあう傾向が強まる今日、ＯＥＣＤはそうした様々な問題を有機的に関連付け、多角的・総合的に研究・分析し、政策提言を行う人材と能力を備えた国際機関であると言うことができます。

３「クラブ的性格」と称されるもので、上記のような多様な問題に関して政策協調を図るための協議の場を提供していること。

相互依存が高まりつつある今日の国際社会にあって、世界経済の主要なプレイヤーが互いの政策について緊密な話し合いを持ち、一国の経済・社会政策が、他の国々との間に問題や摩擦を生じることのないよう調整する必要がますます高まっています。その政策協調の場となっているのがＯＥＣＤなのです。その活動の形態としては、加盟国間の交渉ではなく、意見・情報の交換を主体としています。自由な討議を通じて国際的公正さについて共通の認識を醸成し、各国の政策の調和を図ることを目的としています。このような性格を反映して、ＯＥＣＤの会議は次のような特徴ある運営がなされています。

ＯＥＣＤとして意思決定を行う場合は、多数決でなく全会一致を基本とします。

棄権した加盟国には、その事項は適用されません。会議の議事運営は柔軟で、票決も行われません。ＯＥＣＤの会議は、必ずしも一定の結論を得ることを目的としてはいません。これは、合意がなされなくとも、討議の過程で各国の考えや主張が明らかになることで、加盟国の政策に影響を与え合うことが期待されているためで、実際にもそうした結果が得られています。

　ＯＥＣＤの今日の優先課題の一つとして税制が挙げられています。税制に関して、ＯＥＣＤは、各国税務当局間の協力や研究のための場を提供し、そこでは、二重課税を防止し、節税・脱税・税の引下げ競争を最小限に止め、税によって引き起こされる貿易・投資フローの歪みを極力小さくするための種々の提言をしています。具体的な提言としては、「二重課税防止に関するＯＥＣＤモデル租税条約」、「多国籍企業及び税務当局のための移転価格ガイドライン」の策定、ＯＥＣＤガイドラインのＯＥＣＤ域外における普及を促進するための非ＯＥＣＤ諸国との対話・協力などが挙げられます。（出典・ＯＥＣＤホームページ）

2 中国の移転価格税制とその運用

ケーススタディ② 移転価格税制の執行状況について

Q 本田技研工業株式会社が東京国税局より移転価格に関する税務調査を受けて、2002年3月期から2006年3月期までの5年間について中国四輪事業から得られる収益が日本側に過小に配分されているとの指摘が当局からなされているとの新聞報道があります。

しかし、これは日本の課税当局の話です。

中国において、日本企業が移転価格税制で課税されたという話はあまり聞こえてきません。中国での事業展開をするにあたって移転価格税制は、あまり問題にならないと考えていいのでしょうか?

A 今までは、中国での移転価格問題が日本のマスコミで報道されることはあまりありませんでした。しかし、個々の更正金額は百万円から一千万円単位ぐらいですが、これまでにも、かなりの数の移転価格調査が中国税務当局によって行われていました。**これからは、更正金額の大きい移転価格課税が実際になされるようになるでしょう。**

まず、今まで大きな金額の移転価格課税が問題にならなかった背景を述べます。それは、**中国政府が外資に対して優遇策をとっていたから**です。特に、外資優遇策の目玉は、優遇税制にありました。有名な優遇税制に「2免3減」があります。つまり、新規設立した外資系企業については、利益が出た年から2年は免税、その後3年は5割の減税という優遇税制です。つまり、優遇税制の下、**多くの外資系企業が法人税を払っていなかった**のです。

「2免3減」の過去の運用について考察してみます。初期の設備投資等の回収は通常3～5年要するため、まず、赤字の年度がしばらく続きます。仮に、6年目に入ってから利益があがったとしても、「2免3減」優遇が受けられ、6～7年目の税率は0％、8～10年目は通常の税率の半分の税率が適用されます。ですから、中国に進出して10年間ぐらいは法人税を支払う必要がなかったのです。しかし、外資優遇税制に対する大きな変革が２００７年３月にありました。

２００７年３月の中国の全国人民代表大会において、外資優遇税制を撤廃する「企業所得税（法人税）法案」が採択されました。ただし、内外資を問わずハイテク化や環境保護に役立つ企業は、優遇されています。現在、国内企業と外資系企業の税率は一本化されています。中国で事業活動をする企業は、税率が一本化されているため、内外資を問わず25％の法人税の支払いが課せられます。さらに世界貿易機構（ＷＴＯ）に加入した中国は、「内外無差別」の原則を順守する必要があります。このような状況になりますと、国外関連者を通じた取引による利益移転に税務当局の関心は高まります。以上のことより、必然的に移転価格税制が厳密に運用されるようになります。

ポイント──外資優遇税制が撤廃された後、親会社は黒字、中国子会社は赤字の状況は、止むを得ない理由があっても移転価格での課税リスクが生じます。

移転価格税制が実際に運用さるようになると、前記の例のような日本の進出企業の赤字垂れ流しも認められなくなります。20年ぐらい前、日本企業が怒涛のように米国へ進出したとき、日本企業の「利益より売上重視」の姿勢から、多くの企業は、利益なき米国進出をしました。しかし、これら企業を米国税務当局（ＩＲＳ）は移転価格税制でことごとく課税していきました。その理由は、関係する関係会社それぞれが適正な利益を確保できる親会社・海外子会社間の取引価格（**あるべき移転価格**）でないことにありました。**日本の親会社は黒字で、中国子会社は赤字の場合は、要注意です。**赤字の理由の如何を問わず、中国税務当局は中国子会社の利益が不当に少ないとして課税してくる恐れがあります。歴史は繰り返されるかもしれません。

ケーススタディ③　中国の文書化について

Q われわれは生き残りをかけて、止むを得ず中国進出しようと考えています。中国で予期しない多額の税金が課されて、親会社の屋台骨が揺らぐようなことはどうしても避けたいです。経営者として海図なき航海は危険すぎます。税務リスクを回避するため、海図に相当するものはありますか？

A 耳慣れない言葉ですが「文書化」が税務リスクを回避するための海図に相当するものです。「文書化」の意味は、「納税者が考える**あるべき移転価格**の算定方法等を文書化する」という意味です。**あるべき移転価格**算定のための手順やその根拠となった各種データの整理・分析した結果を文書で保存することが文書化です。その内容から文書化は、時間と手間のかかる作業です。「そんな面倒くさいことを止めて、移転価格の税務調査が来るまで何もしないで、調査が来たら説明すれば良いではないか」と考えがちですが、そのような対応はお勧めしません。

中国では、文書化を怠った場合ペナルティ（２０００人民元から１００００人民元）が課されます。罰則規定に基づく上記のペナルティの金額は、日本円でおおよそ2万円から10万円でたいしたことはありません。しかし、問題は、罰則規定でなく推計課税の規定です。文書化を怠った場合、中国税務当局は当該中国子会社の課税所得金額を調査することなしに、いくらでも好きなだけ税金を文書化していない中国子会社に対して追徴することができます。

中国での移転価格課税をゼロで済ますのか、予期せぬ移転価格課税が課されることとなるのか、さらには、**親会社が倒産するほどの巨額な課税がなされるかは、すべて文書化しているか否かに関わっています。**

ただし、この文書化の義務をすべての中国子会社が負っている訳ではありません。文書化義務を負っているか、否かについては図表3−2のフローチャートで確認できます。

大まかな目安としては、中国子会社と関係会社（親会社と他の子会社）との年間の商品・製品の取扱高がおおよそ25億円を超えると、文書化の義務が課せられます。

ケーススタディ④　日本企業が直面している税務問題——恒久的施設

Q 中国の移転価格の調査、課税は、近い将来に大きな問題となることはわかりました。それでは、当面の間、中国での事業展開は、税務リスク・フリーと考え

[図表 3-2]

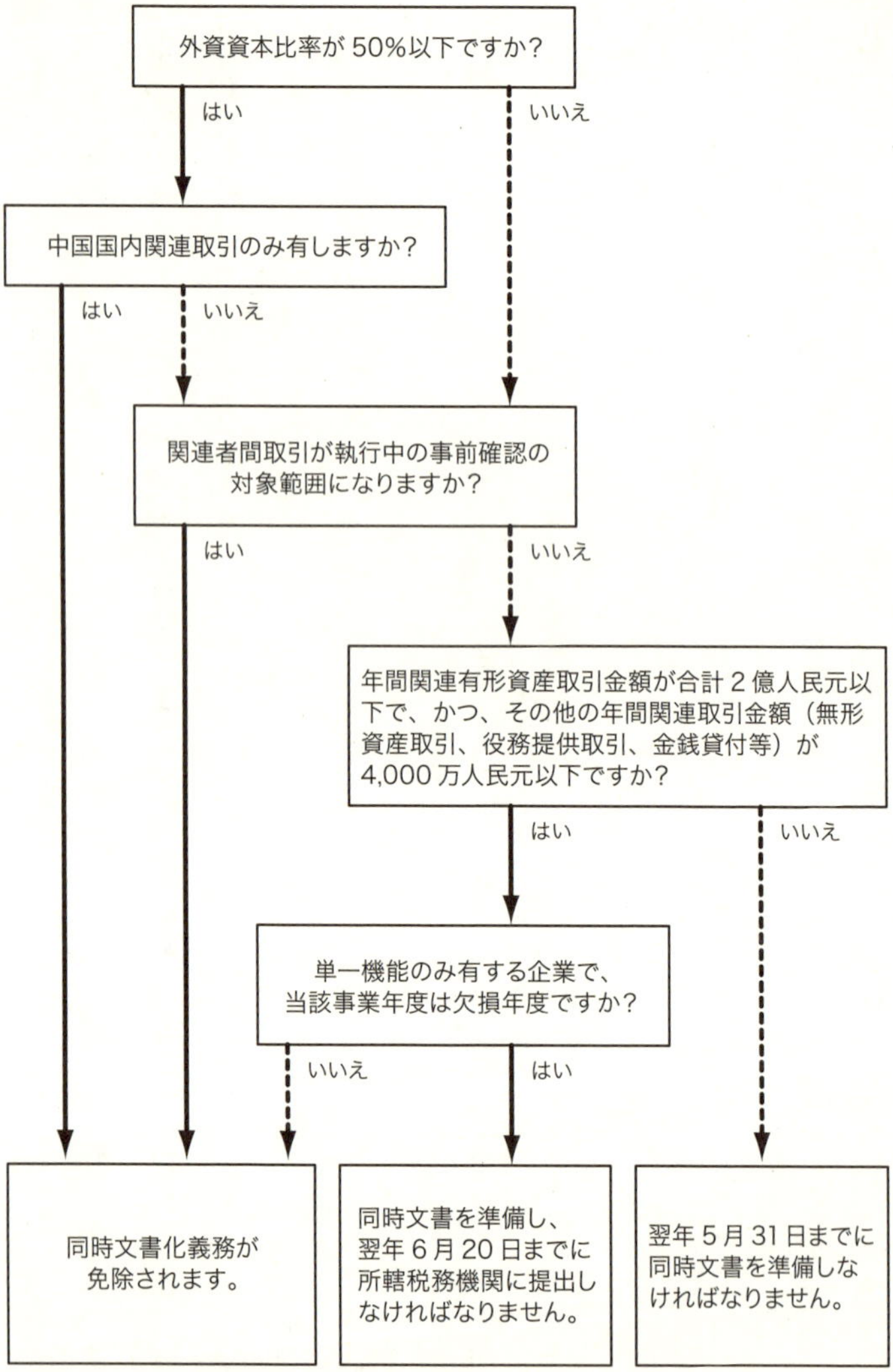
外資資本比率が 50%以下ですか？
はい
いいえ
中国国内関連取引のみ有しますか？
はい
いいえ
関連者間取引が執行中の事前確認の
対象範囲になりますか？
はい
いいえ
年間関連有形資産取引金額が合計 2 億人民元以
下で、かつ、その他の年間関連取引金額（無形
資産取引、役務提供取引、金銭貸付等）が
4,000 万人民元以下ですか？
はい
いいえ
単一機能のみ有する企業で、
当該事業年度は欠損年度ですか？
いいえ
はい
同時文書化義務が
免除されます。
同時文書を準備し、
翌年 6 月 20 日までに
所轄税務機関に提出し
なければなりません。
翌年 5 月 31 日までに
同時文書を準備しな
ければなりません。

（参考条文：特別納税調整管理弁法第 15 条、国税函 [2009] 363 号）

て良いのでしょうか？

A 残念ながら税務リスク・フリーではありません。国際税務の教科書でよく議論されていますが、実際に執行されることは少ない「恒久的施設」に対する課税が、中国ではかなり頻繁に行われているからです。**恒久的施設とは、日本法人が海外で直接営業する場所**と理解すると分かりやすいです。海外支店は、営業活動を通常予定していますので恒久的施設になりますが、駐在員事務所は、もっぱら情報収集をすることを目的に設置された場所ですので、営業を予定していません。ですから駐在員事務所は、恒久的施設にはなりません。また、**中国子会社**は、日本法人が所有する**中国法人が中国で営業する場所**です。ですから**中国子会社は、次の状況に該当する場合を除いて日本法人の恒久的施設にはなりません**。

中国で問題となっている恒久的施設の課税とは、**中国子会社の中でみなし支店活動をしているとの認定による課税**です。これを「**恒久的施設**（Permanent Establishment）」に対する課税（**ＰＥ課税**）と呼んでおります。

日本人従業員の長期出張を例にとります。日本企業Ａが中国子会社Ｘに技術者を数名定期的に出張させて、1年以上にわたって技術指導します。生き残りのために生産拠点を日本から中国に移した日本企業にとっては、日本から中国への技術移転を的確にすることが大事ですので、従業員派遣は、当然の活動と考えます。日本人従業員を長期出張させている親会社である日本企業Ａは、日本での寄附金課税を避ける意味から、長期出張している日本人従業員の給与相当分に多少の利益率（10％）を上乗せして計算した技術指導料を中国子会社Ｘから徴収します。

中国税務当局は日本の中国子会社の活動に常に目をひからせています。そして、彼等の目に留まった**日本の中国子会社の一連の取引が問題になります**。具体的には、日本人従業員が常時居ることが問題となります。事例の場合は、日本人従業員が常時居ることから中国子会社Ｘの内部に日本企業ＡのＰＥがあると認定し、ＰＥ課税をしてきます。ＰＥ課税により、予期しない中国法人税、営業税が日本企業Ａに課されることになります。さらに、二次課税が生じます。**長期出張していた日本人従業員に対して、中国の所得税が課されます。**

[図表 3-3]

●PE 課税された場合

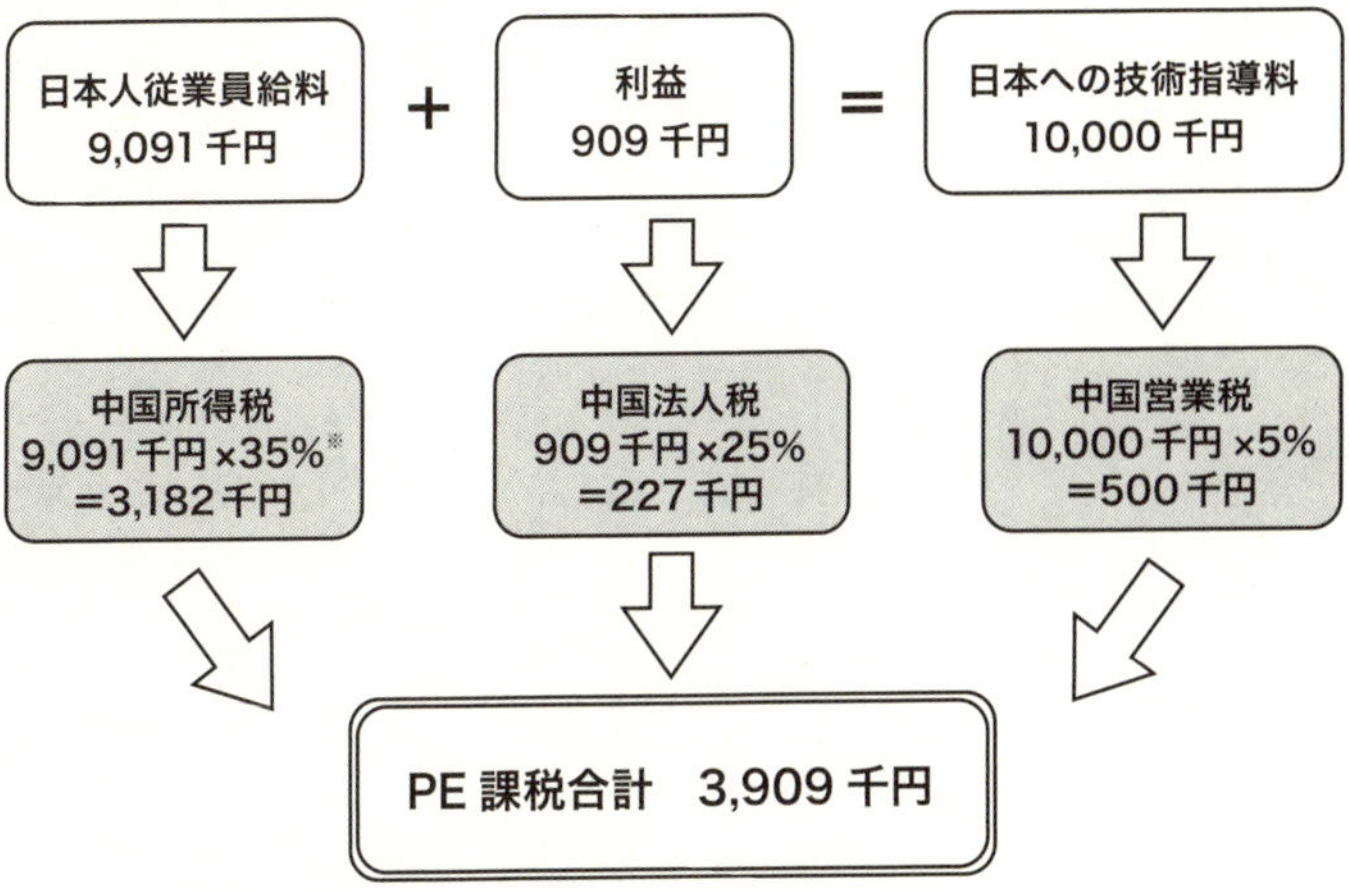

※所得税は 5%～45% の累進税率。参考として 35% の税率を使用。

ＰＥ課税されると、まず、日本企業Ａの技術指導料の利益（909千円）に対して25％が中国法人税（227千円）、そして、技術指導料の５％が営業税（500千円）として課税されます。また、中国に出張している日本人の給与相当分に対して中国の所得税が課されます。所得税は５％から45％の累進税率によって課税されます（図表３－３）。

中国の地方税務局は、外資系企業の活動に目を光らせています。特に、日本人従業員の活動に対してです。また、彼等は空港の通関士との連携も密にとっているようです。華南地区の日本企業の事業を視察した経験があります。その時の光景ですが、日々作業服を着ていても、工場内の行動を見る限り、ローカル従業員と日本人従業員の違いは一目瞭然でした。さらに、ローカル従業員では決して行けない高級カラオケに足繁く通う東洋人といえば、日本人従業員しか居ません。

ある日本企業が採用しているＰＥ課税を避ける方法は、案外、泥臭い方法です。ホテルと工場間の移動に関しマイクロバス利用の徹底、夜間の外出は禁止と出張者にとっては大変気の毒な方法です。留意すべき点は、大企業の中国子会社であろうと、中小企業の中国子会社であろうと外資は、外資ということです。海外に出たら、大企業も中堅・中小企業もすべて外資です。傾向として、外国の税務当局は、外資に対して税を厳しく取り立てます。

コーヒーブレーク

中国人にとって最高の幸せ

中国ビジネスに詳しい人より、「中国人のメンタリティを理解するには、神童詩・四喜（宋の大学士、汪洙の作といわれている）を知ることだ」と言われました。神童詩・四喜は、中国人の最高の幸福の集大成が描かれているといわれています。

久旱逢甘雨（長い旱魃の後に慈雨が降る）
他郷遇故知（異郷で故知に遇う）
洞房華燭夜（新婚の寝室に華燭を点《とも》す）
金榜掛名時（科挙の合格発表に名が出る）

神童詩は昔の中国の児童啓蒙教材といわれています。そして、今の中国でも神童詩は多くの人々が暗唱できるそうです。「科挙の合格発表に名が出る」の部分は、強烈な立志出世志向、個人的利益のあくなき追求が中国人の幸せの根本になっている部分を表しています。このような考え方は、千年以上の伝統と教育に培われ、受け継がれているものだと思います。

3 インドの移転価格税制とその運用

ケーススタディ⑤ インドの移転価格税制とタックスホリデー[1]

Q わが社のインド現地法人で生産した製品は、全量輸出しています。日本が主たる仕向け地です。このような事業形態の現地法人ですので、EOU（Export Oriented Unit 輸出指向型企業）としての認定を受けることができました。その結果、輸出から生じた利益について10年間法人税が100％免除されています。払うべき法人税がない現地法人が行う取引ですから、あるべき移転価格を設定する必要はないと理解しますが、その理解で正しいですか？

1 タックスホリデーは、一時免税措置のことです。たとえば、A国に進出したときは、進出した企業に対して、一定期間、A国で税金課さない措置のことです。

［図表3-4］

A その理解は改める必要があります。貴社ＥＯＵ現地法人の輸出価格が、あるべき移転価格より低い場合、インド税務当局はあるべき移転価格まで輸出価格を修正します。この修正によって発生する所得は、100％免税の対象外となり、通常のインドの法人税が課せられます。つまり、ＥＯＵ現地法人の課税所得が正しく報告されていることを前提に法人税が100％免除されると考えて下さい。

移転価格調査の可能性ですが、通常の日本企業の現地法人であれば、輸出取引は年間億円単位に上ると推測されます。そのような現地法人であれば移転価格調査が行われる可能性は高いです。その理由は、Form3CEB（会計士の証明）の提出にあります。インドでは、国外関連者取引のある企業は、法人税の申告書の提出と共にForm3CEB（会計士の証明）の提出が求められます。Form3CEBの内容は、日本の法人税申告書の別表17（４）〝国外関連者に関する明細書〟と同様な内容の情報提出及び当該情報が正しく作成されているとについての会計士証明がセットになった資料です。

インド税務当局は、Form3CEBの内容を検討して、移転価格に問題あると思われる企業に対して移転価格調査を実施します。このため、貴社ＥＯＵ現地法人の国外関連者取引があるべき移転価格でない場合には、調査が実施される可能性は高いでしょう。

ケーススタディ⑥　インドの移転価格調査――ソニーのインド子会社

Q インドの移転価格税制の導入は比較的新しいものの、移転価格調査が頻繁に行われていると聞きました。過去の事例で当方が参考にできる移転価格の事案はありますか?

A ソニーのインド子会社（ソニーインド）が移転価格税制で課税され、その課税を不服として、ソニーインドが訴訟を提起した事案があります。公表されている情

[図表3-5]

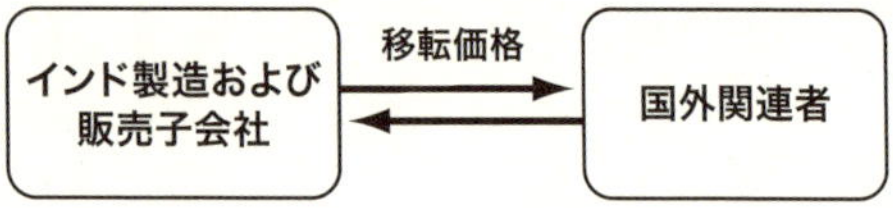

報からその事業を説明します。その内容は、貴社のインドでの事業展開において参考になるとおもいます。

ソニーインドは、カラーＴＶ、オーディオ機器用部品を国外関連者（ソニー等）から輸入し、その部品を組立て、カラーＴＶ、オーディオ機器をインド国内で販売。そしてソニー等に輸出していました。また、ソニーインドは、販売促進のため広告宣伝費をソニー等から受けていました。

インド税務当局は、①ソニー等との取引価格が、比較対象企業を分析した結果、移転価格が適正でない、②販売促進のため受取った広告宣伝費は営業利益に含めるべきでない、③ソニーインドには、５％のセーフハーバー規定[2]は適用しないという理由から、ソニーインドの移転価格に対して課税しました。

その課税を不服として、ソニーインドは訴訟を提起し、２００８年８月にソニーインド勝訴の判決が下されました。判決の要旨は以下のとおりです。

①の論点ですが、課税当局は売上の10％から15％が関係会社売上のある比較対象企業は、比較対象企業として不適切であるとして、否認しました。しかし、その程度の関係会社売上であれば、除外する理由に当たらないとの判断が裁判所によってなされました。

②の論点に対して、実際に入金している取引をあたかも入金が無かったように取扱うことは、法に違反しているので認められないとして、課税当局の取扱いを認めませんでした。

③の論点に対して、５％のセーフハーバー規定は更正されたときは適用しないという課税庁の主張を退け、５％のセーフハーバー規定は認めるべきであるとの判断

2　「セーフハーバー」とは、税務当局が簡易な一定のルールやレンジをあらかじめ設定し、納税者が当該ルールやレンジに基づき取引を行っていれば税務当局はその結果を税務上妥当なものとして自動的に受け入れるという規定です。インドの移転価格税制では、複数の比較対象取引がある場合、複数の比較対象取引から導かれる取引価格の上下５％以内に納税者の移転価格が設定されていれば、あるべき移転価格とみなす取扱いがあります。これを５％のセーフハーバー規定と呼びます。

を下しました。

ソニーインドから学ぶこと

ソニーインドが訴訟で勝つことができたのは、「文書化」ができていたことにあると思います。移転価格の文書化は事前の準備です。しかし、事前の準備にヒトとカネをかけることが日本企業は大変不得意です。しかし、備えあれば憂いなしがソニーインドの事件で実証されています。

「文書化」の内容については、該当するケーススタディをご参照ください。

税務に関してインドは、他国とは比較にならないくらい強引な課税を行っているようです。一方、課税を受けた納税者の多くがインド国内で訴訟を提起しています。日本での税務訴訟に比較して、納税者が勝訴する確率はかなり高いようです。ですから、インドの状況を考えると、あまり弱腰にならないことも大事です。

4 ASEANの移転価格税制とその運用

ケーススタディ⑦ ASEAN各国の移転価格税制

Q 弊社の原料は、東南アジアで調達してきています。そこで、人件費も安い東南アジアに進出することに関心を持っています。

東南アジア諸国の移転価格税制はどのように運用されていますか？ 各国の移転価格税制はバラバラなのですか？ あるいは、ほぼ同じと考えて良いのですか？

A 東南アジアという地域を特定させる意味から、東南アジア諸国連合に属する国々を東南アジアと呼ぶことにします。東南アジア諸国連合の略称は、ＡＳＥＡＮです。ＡＳＥＡＮの構成国は10カ国で、それぞれの国での移転価格税制の採用状況

[図表 3-6]

を図表3―6の表に示しました。

移転価格税制を採用している国での**あるべき移転価格**の算定方法は、基本的に移転価格税制のグローバル・スタンダードを参考にしています。それは、ＯＥＣＤの移転価格ガイドラインで定められている移転価格算定方式です。移転価格税制は、国外関連者との取引（たとえば、ベトナムの現地法人と日本の親会社との取引）の価格の妥当性を問題にするため、ＡＳＥＡＮ諸国は、ＯＥＣＤ加盟国ではありませんが、ＯＥＣＤの移転価格ガイドラインの考え方を援用する必要があります。

次に、留意すべき点は、移転価格税制を**採用していない国**でも、**あるべき移転価格**を考慮する必要があります。それらの国では、所得の国外移転に関して課税庁に課税する裁量を与えています。課税庁のさじ加減ひとつで課税される可能性があります。移転価格税制を**採用していない国**で移転価格が問題にされると、滅茶苦茶な移転

［図表3−7］

ASEAN	移転価格税制[3]
インドネシア	採用
カンボジア	―
シンガポール	採用
タイ	採用
フィリピン	―
ブルネイ	―
ベトナム	採用
マレーシア	採用
ミャンマー	―
ラオス	―

価格算定方式を持ち出してくる可能性があります。
移転価格問題の難しい側面として、ＡＳＥＡＮ諸国の税務当局が移転価格を問題にしなくても、一方の相手国である日本の税務当局が移転価格を問題にするということがあります。また、その逆もあります。

さらに悪いことに、ＡＳＥＡＮ諸国の税務当局および日本の税務当局双方で移転価格を問題にすることもあります。このような状況は、変数が多すぎる連立方程式（企業がグローバル化しているゆえ、関係する税務当局が多い）を想定すると分かりやすいでしょう。

3 2009 Global Transfer Pricing Survey by Ernst & Young

現在のＡＳＥＡＮ諸国での税務調査に関してですが、ＡＳＥＡＮ諸国は、積極的な移転価格の調査は行っていないというのが現状です。しかし、西洋化とかグローバル化の影響は否応なしにＡＳＥＡＮ諸国にも及びます。移転価格の調査においても日本と同じ道を辿ると思われますので、問題のない現時点からそれなりの備えをしておくことが大事でしょう。それなりの備えとは、専門家を使ったコスト高な移転価格調査の対応策というものではありません。大切なのは、経営者が持つ適正利益に対する感覚を、書面にして備え付けておくことであると考えます。

5 米国の移転価格税制とその運用

ケーススタディ⑧　あるべき移転価格の幅

Q 米国ではあるべき移転価格には幅があると聞いています。どのようにあるべき移転価格の幅は算定されるのでしょうか？

[図表3-8]

A 日本の親会社（ＪＰ社）は民生機器の製造・販売をしており、そして、その米国子会社であるUSSub社との間の関連者間取引における独立企業間実績値を評価するため、再販売価格基準法（ＰＲ法）での適用を内国歳入庁（ＩＲＳ）が検討する場合を例にして説明します。

この事例の場合、ＩＲＳの調査官は、同一の産業分類に属する企業の中から、この方法の適用にあたって比較対象企業として使用することのできる可能性のある50社の非関連企業を識別します。

さらに検討した結果、非関連企業のうち10社のみが、類似の資本投資および同種の販売機能を必要とする活動を行っていることが分かりました。これら非関連企業のうち６社についてはデータが非常に限られており、いくつかの重要な差異が識別されました。よって、これら非関連企業６社の比較可能性のレベルは他の４社のそれと比

[図表 3-9]

●比較対象取引の選定手順

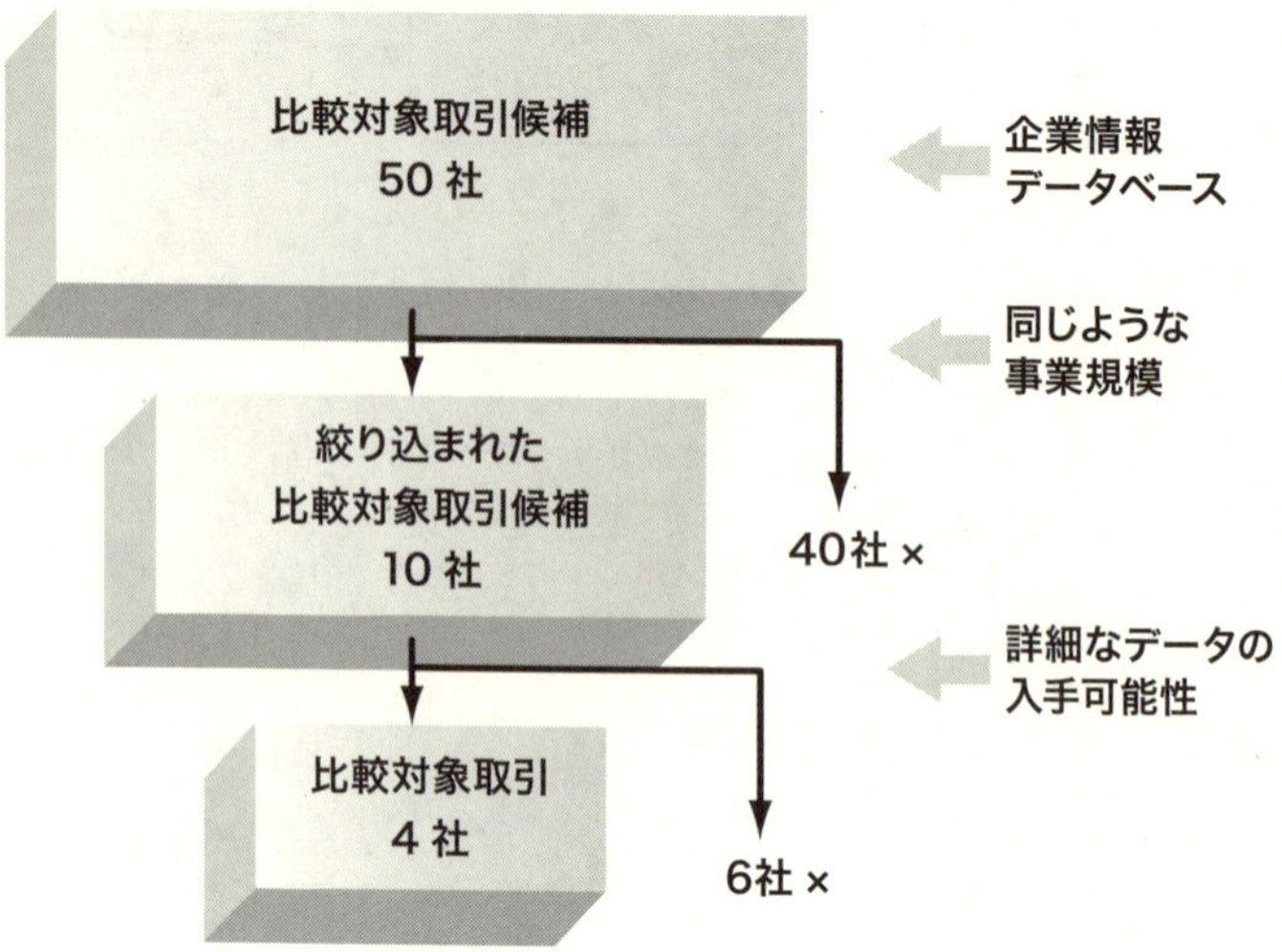

比較対象	実績値（$価格）
1	42.00
2	44.00
3	45.00
4	47.50

べるとはるかに劣ります。

さらに、これら非関連企業６社については、関連者間取引に係る事業活動とその他の取引に係る事業活動との間でコストを配分することができませんでした。

結果として、残りの非関連企業４社が比較対象企業として採用されることになり、そして、これら比較対象企業４社の数値を使用して独立企業間レンジが設定されます。

４件の比較対象企業とUSSub社とを比較すると、それぞれ甲乙つけがたい同等の比較可能性を有しておりました。そこで、ＩＲＳの調査官は再販売価格基準法（ＰＲ法）を４件の比較対象企業に適用し、次の実績値を得ました。

このケースの場合、４件の比較対象企業が同等の比較可能性を有しており、それぞれの数値があるべき移転価格であるといえます。それなので、再販売価格基準法（ＲＰ法）が最適手法であると決定された場合には、関連者間取引の独立企業間レンジが設定されなければなりません。このケースの場合、ＩＲＳの調査官は、独立企業間レンジを決定するため四分位レンジ、すなわち、43・00ドルから46・25ドルまでのレンジを使用します。

ＩＲＳの調査官は、USSub社の価格がこのレンジから外れた場合には、移転価格の調整を行うことができます。その場合、その調整は実績値の中位値44・50ドルになります。

ケーススタディ⑨　グループ内役務提供

Q グループ内役務提供（Intra Group Service: IGS）に関してですが、利益を賦課しないで原価で関連会社に付替えることは可能ですか?

A 米国内にある関連会社間であればグループ内役務提供の原価で他の関連会社に付替えることは可能です。しかし、日本の親会社と米国子会社との二国間にまたがるグループ内役務は、役務提供するサイドでその要した原価に適正利益を賦課することが必要となります。

なお、米国移転価格税制では、二国間にまたがるグループ内役務に関しても、役務原価法を適用して、原価による対価の請求（原価付替え）が認められる取引について説明がなされています。参考のため、その部分について引用いたします。

(ｉ) 同じグループに属する関連者（ＰＱＲ関連グループ）の取引を前提にします。

P社は、顧客1との独占契約により、小型装置の製造販売を行っています。Q社及びR社は、それぞれ顧客2及び顧客3との独占契約により、小型装置の販売を行っています。各顧客は、少なくともこの先1年間に必要となる小型装置の数量を正確に予測します。各顧客は当該予測に基づき、1年間を通じて小型装置をそれぞれ契約相手であるP社、Q社及びR社に対して発注します。数量の実績が顧客の予測数量から外れることはほとんどありません。

(ii) PQR関連企業グループにとって、小型装置を出荷前に製造し、保有しておくことが最も効率的です。しかしながら、P社、Q社、R社のいずれも小型装置を販売していますが、P社のみが集中保管倉庫を有しています。そのため、P社は、Q社及びR社との契約に基づき、それぞれの小型装置を保管し、その対価を独立企業間価格で請求しています。

(iii) また、P社の従業員は、それぞれの顧客からの小型装置の交換用部品の受注、

[図表3-10]

●グループ内役務の内容

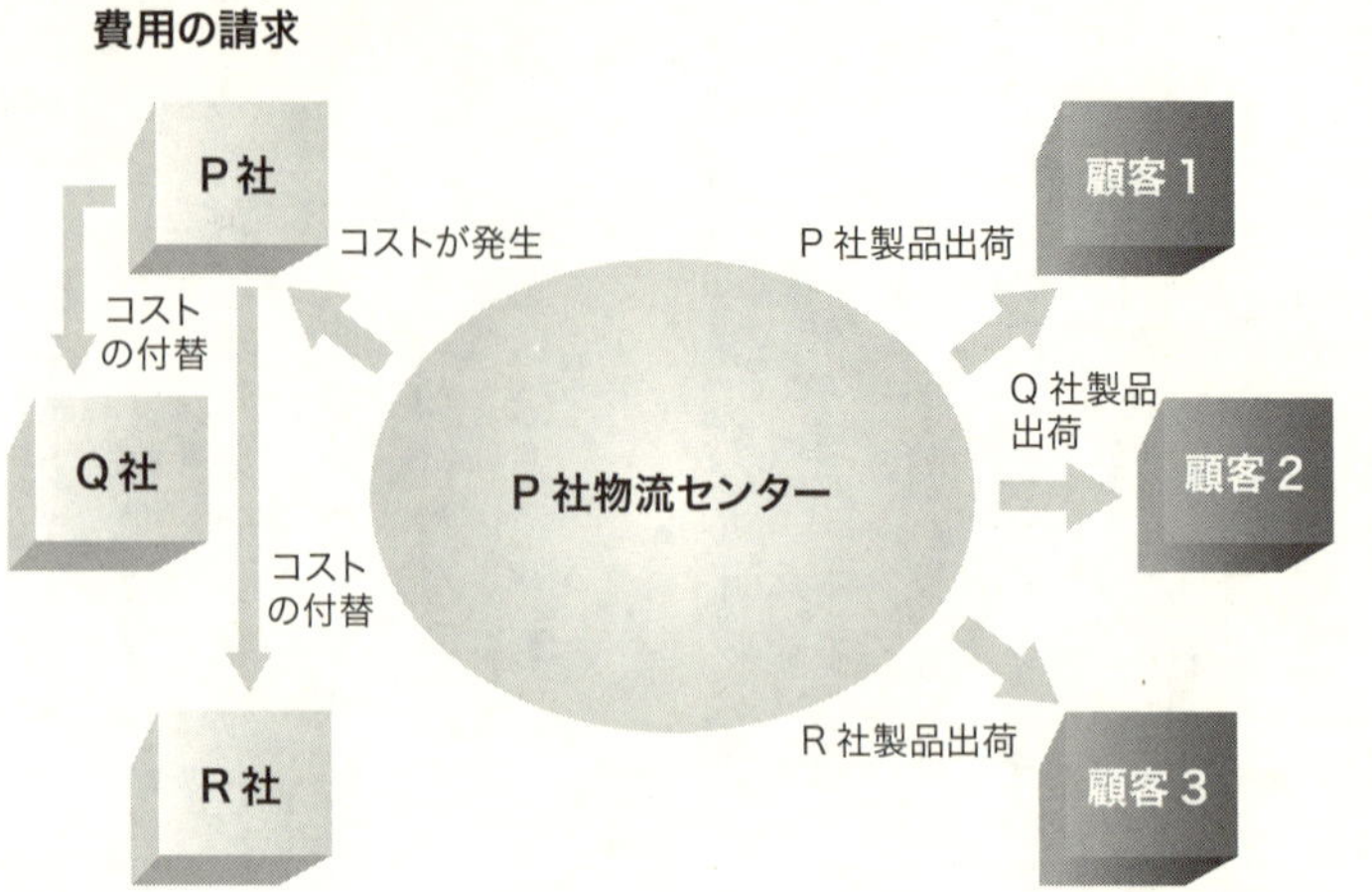

及び、その交換用部品の仕入先への支払を行っています。その他に、P社の従業員は、データ入力を通じてP社、Q社及びR社の小型装置及び交換用部品の注文及び売上を中央管理コンピュータ・システムに入力します。P社の従業員が当該コンピュータ・システムを管理し、P社、Q社及びR社のために必要に応じてデータの抽出を行います。

(iv) 上記の棚卸資産の購入及び販売のデータ管理に関連する役務が、特定役務あるいは低付加価値の役務に該当する場合、P社は当該役務に係る費用を役務原価法（Service Cost Method: SC法）によりQ社及びR社に対して請求できます。

役務原価法は、適正利益を賦課することなく原価をもって役務の対価とする方法です。前記の引用で示されているように、役務原価法は、その役務の内容が日常的に行われる事務管理の支援活動等の特定役務で、かつ、低付加価値の役務に対して適用することが認められています。しかし、製造・生産に関する役務の提供、販売取引に関する役務の提供、研究開発に関する役務の提供等の役務に対して役務原価法を適用することはできません。

ケーススタディ⑩　利益比準法の算定方法

Q 米国の移転価格税制において利益比準法があると聞きました。耳新しい用語ですので、この方法の内容を教えてください。また、この方法は本邦の移転価格税制では規定されていません。本邦で、この方法を、措法第66条の4で規定するところの「その他の方法」として利用することは可能ですか。

A 次の例で利益比準法の説明をいたしましょう。

日本の米国現地法人（USSub社）は親会社の製品を販売するディストリビューターです。

この米国現地法人の独立企業間価格決定方法の選択にあたって最適方法適用基準を適用した結果、利益比準法が最も適切な方法であるとの結論に至りました。ディストリビューターの機能を考えると、収益性は取り扱う商品の違いにはあまり依存しないと考えられます。むしろ運転資金の多寡の違いによる差の方が企業の収益性に与える影響は強いと考えられます。そこで、利益比準法に基づく移転価格算定にあたっては、その利益水準指標に投下資本営業利益率（企業が事業活動のために投じた資本に対して、どれだけ営業利益がもたらされたかを示す指標）を利用した方法が最も合理的であるとの結論に至りました。

比較対象企業となるディストリビューター（第三者）の投下資本営業利益率は、次

[図表3-11]

のとおりです。

USSub社要獲得営業利益は、USSub社の投下資本310,000ドルに比較対象企業の投下資本営業利益率を乗じて算定されたものです。比較対象会社Aの場合、A社の投下資本営業利益率8%に310,000ドルを乗じて24,800ドルが算出されます。このように計算して算定されたA社からJ社の金額から異常値を排除した数値利益、つまり四分位レンジ内の利益（上位25%、下位25%の範囲をとることによって、その範囲外の外れ値、異常値が取り除かれます）が、利益比準法のもとで算定さる独立企業間原則に基づく営業利益です。

この例の場合、19,530−35,650ドルがそれにあたります。利益比準法においては、19,530−35,650ドルの営業利益を生み出すようにUSSub社との移転価格を設定することが求められます。（図表3−12）

［図表3－12］

比較対象企業（第三者）	比較対象企業 投下資本営業利益率	USSub社 要獲得営業利益
A	8.0%	$24,800
B	23.3%	72,230
C	16.9%	52,390
D	8.0%	24,800
E	11.5%	35,650
F	6.3%	19,530
G	5.3%	16,430
H	2.7%	8,370
I	8.5%	26,350
J	7.5%	23,250

利益比準法をまとめると、次の特徴があります。

利益比準法とは、納税者が国外関連者に製品を販売する場合、その取引にかかわる棚卸資産と同種・類似の棚卸資産を購入する第三者が当該製品の販売（国外関連者取引と取引段階、取引数量、その他の条件が同様の状況のもとで売買した場合）によって得られる営業利益率と同様な営業利益率をもたらすような移転価格を、独立企業間価格とみなす方法です。

この営業利益率を算出するにあたっては、例であげた投下資本営業利益率の他、売上高営業利益率やベリー比率が利用されます。

従来の方法が売上総利益を基準にしていたのに対し、この方法は営業利益を基準にしていること

に特徴があります。売上総利益から営業利益に基準が変更されたことは、大きな意味を持ちます。売上総利益の場合は、比較対象取引つまり商品の同質性が重要な判断基準になりますが、営業利益の場合は同質性の範囲がもっと広くなるとＩＲＳは考えています。つまり、商品の同質性がなくとも、**比較対象企業の機能に同質性**を見いだせれば利用を妨げないという考えです。

日本で利益比準法を措法第66条の４で規定するところの「その他の方法」として利用することが可能か否かのご質問ですが、今のところ、この件に関する国税庁の見解は否定的です。それは商品の同質性が見いだせない企業を、単に機能が同じであるから比較対象にすることに無理があると考えているからです。

なお、利益比準法と同様に営業利益をあるべき移転価格算定のベースにする取引単位営業利益法があります。取引単位営業利益法は、その他の方法として日本で認められます。利益比準法が比較対象を企業単位で選定する方法であるのに対して、取引単位営業利益法は比較対象を取引単位にまで細分した方法であり、比較対象取引の信頼性という点において両者には違いがあると考えられています。

ワンポイントアドバイス

移転価格で用いられる統計の概念——四分位値（四分位範囲）

あるべき移転価格は、実務的には複数の比較対象取引から算定されます。複数の比較対象取引から算定されるあるべき移転価格は、ある一定の幅を持つ価格帯になるでしょう。

ほとんどの国の移転価格税制は、この幅の概念をあるべき移転価格において採用しています。

残念ながら、日本の移転価格税制には、幅の概念がありません。移転価格税制で採用される幅は、通常、第1四分位値と第3四分位値の間である。その間に移転価格が設定されていれば、あるべき移転価格とみなされます。そこで、移転価格税制で利用される四分位値を理解することが大事です。

次の例示を参照してください。

[図表 3-13]

比較対象取引	価格	
A	850	
B	830	第3四分位値
C	810	
D	790	中　央　値
E	720	
F	700	第1四分位値
G	400	
A から G の平均値	728	

平均値とは、観測されるデータから、その散らばり具合を〝平らに均す（ならす）〟ことによって得られる統計的な指標です。平均値はもっとも頻繁に利用される指標であるが、場合によっては、指標として適切でないことがあります。世帯の貯蓄の事例では、一部の大金持ちの巨大な貯蓄が平均値を引き上げてしまうため、最も多い数の貯蓄額が仮に300万円だとしても平均は１０００万円くらいになります。従って、一般的な世帯の貯蓄について考察するのが目的ならば平均値は適切ではありません。

　比較対象取引も同様です。上記の例で平均値は728ですが、最も多い価格帯はもう少し上にあります。このため、別の指標が必要となります。

平均値が適切な指標でないとき、中央値が用いられます。中央値とは、有限個のデータを小さい順に並べたとき中央に位置する値をいいます。上記例であれば、比較対象取引AからGの7つのデータの4番目にあるDの値が中央値になります。比較対象取引においては、平均値より中央値がその分布の特徴を捉えている場合が多いです。分布の代表値として平均値の代わりに中央値を使うときは、幅の測定（区間推定）の時、四分位値を標準偏差や分散の代わりに使います。測定値を小さい順に並べたときの、小さい方から25%目の値が第1四分位値、そして、測定値を小さい順に並べたときの、小さい方から75%目の値を第3四分位値といいます。さらに補足すれば、第2四分位値は中央値です。

上記例であれば、比較対象取引Fが第1四分位値で、比較対象取引Bが第3四分位値となります。この例でのあるべき移転価格は、700から830の間となります。

Chapter 4

第4章　戦略的移転価格対策

戦略的移転価格対策

ケーススタディ①　米国でのジョイントベンチャーに輸出する場合

Q　弊社は、長年ＥＢウイルス研究をしてきたＡ教授の成果を生かすため設立されたベンチャー企業です。この研究結果の延長上から治療用完全ヒト抗体を作ることに成功しました。この技術を大手製薬会社にライセンスすることも選択肢としてありますが、しかし、今までの苦労を考えると利益の多くを弊社に残したいと思います。そこで世界戦略の第一歩として、いちばん医療分野の市場として魅力的な米国に販売子会社を設立して販売していこうと思っております。また、弊社の資金力等を考えると米国の販売子会社は、ジョイントベンチャーになる可能性がありますが、支配権の過半数は堅持したいと考えています。試案ですが、販売子会社への売値は毎年調整して、当該子会社の損益はブレーク・イーブンにすることを考えています。この目的を達成する合理的売値の設定方法を教えてください。

A 原体は貴社で作り、それを米国の販売子会社に輸出する取引形態を前提にしてお話しします。

このような取引形態では移転価格が問題となります。貴社と米国の販売子会社の取引価格があるべき移転価格であるか否かが課税当局の観点からは常に問題となります。そこでご質問の価格設定方法があるべき移転価格になるかについて検討します。

下記の点を順番に検討します。

1 あるべき移転価格の算定方法
2 戦略的移転価格設定の手順
3 機能とリスクの分析
4 比較対象取引の選定と移転価格算定方法の選択

[図表 4-1]

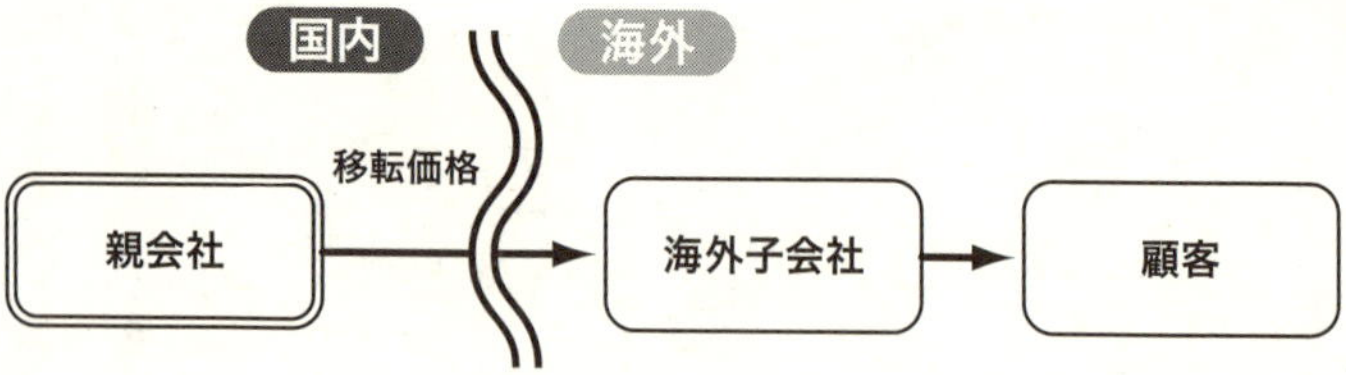

1 あるべき移転価格の算定方法

貴社が考えている米国販売子会社の損益を常にブレーク・イーブンにする価格設定方式は、国際課税の分野において重要な問題、をいわゆる移転価格の問題を引き起こします。

貴社の考えている価格設定方法は、親会社で利益を計上して米国販売子会社では利益が出ない価格設定ですので、より多くの利益を計上する日本で問題にされることはないでしょう。しかし、米国の移転価格税制のもとでは大きな問題を生むでしょう。米国の独立の第三者（非関連者）と取引をするとき、貴社の考えている価格設定方法によって算定された価格に納得して、当該非関連者は取引をするでしょうか。単に売上だけが計上されるだけで、利益を生まない取引には誰もが興味を示さないと思います。

つまり、非関連者が興味を示さない価格を米国販売子会社に押し付けた場合、その価格は、あるべき移転価格になっていない、つまり、移転価格が正しいとはいえないと米国課税庁（ＩＲＳ）はいうでしょう。その結果、ＩＲＳが算定した独立企業間価格（あるべき移転価格）にまで取引価格を修正する更正がなされ、貴社の米国販売子会社は多大な追徴課税の負担が生じるリスクを負うことでしょう。

このようなリスクを事前に避けるには、米国での独立企業間価格の算定方法を知る必要があります。その算定方法は次のとおりです。

①独立価格比準法
②再販売価格基準法
③原価基準法

④ 利益比準法
⑤ プロフィット・スプリット法（利益分割法）
⑥ その他の方法

この6つの方法は米国の移転価格税制で規定されている方法ですが、わが国の移転価格税制では利益比準法を認めていません。このことは移転価格算定方式を選択するにあたって十分注意しなければならない点です。しかし、貴社の場合、問題になるのは米国販売子会社が親会社から仕入れた製品の移転価格であって、その移転価格を問題にするのは日本の税務当局ではなくＩＲＳです。よって移転価格の設定を考える場合、米国での移転価格算定方式をまず第一に考え、次にそれが本邦において問題を起こさないか否かについて検討する必要があります。

2 戦略的移転価格設定の手順

戦略的移転価格設定の手順は、図表４−２のとおりです。

[図表 4-2]

●戦略的移転価格設定の手順

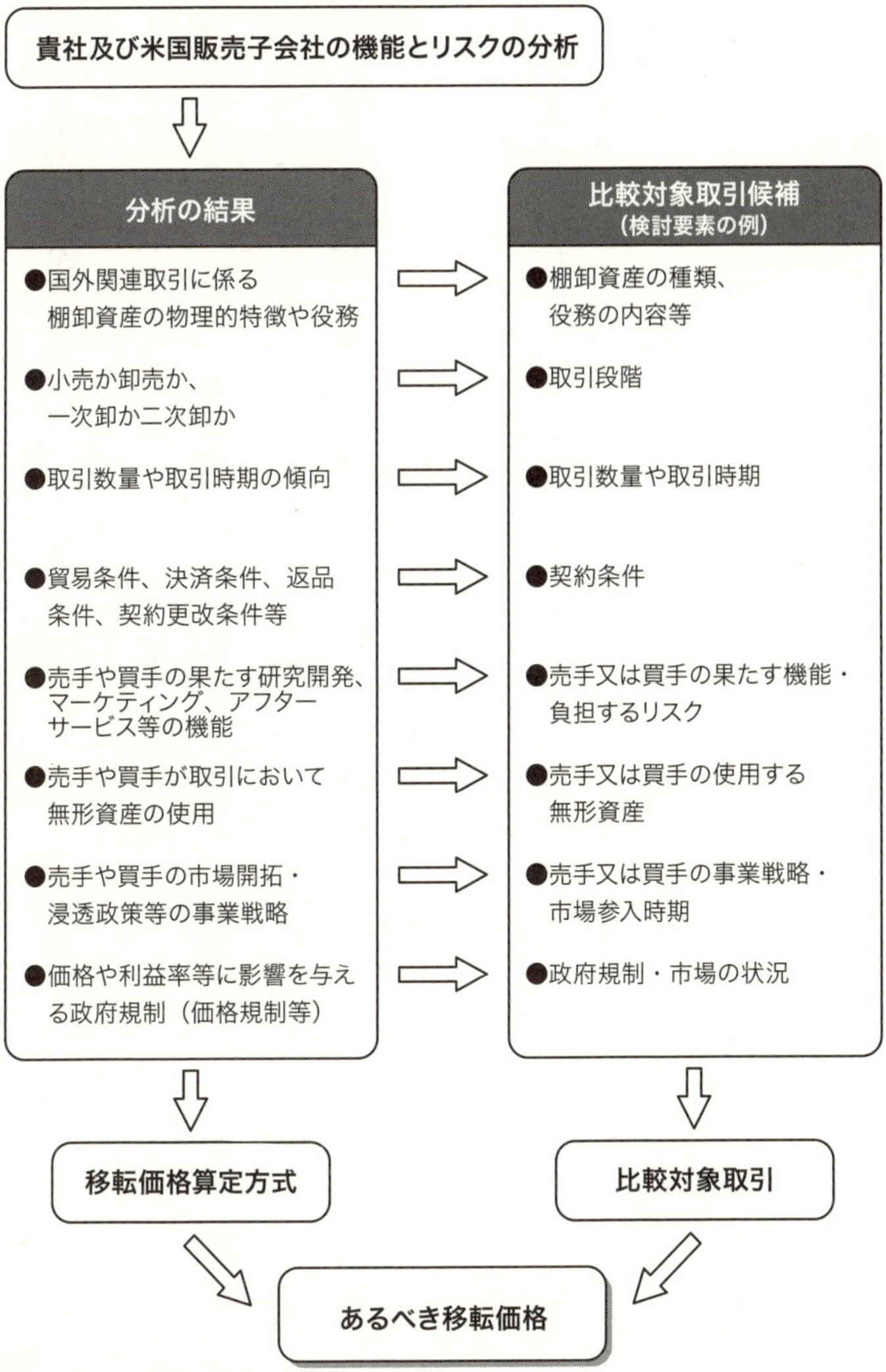

貴社及び米国販売子会社の機能とリスクの分析
分析の結果
比較対象取引候補
(検討要素の例)
●国外関連取引に係る棚卸資産の物理的特徴や役務
●棚卸資産の種類、役務の内容等
●小売か卸売か、一次卸か二次卸か
●取引段階
●取引数量や取引時期の傾向
●取引数量や取引時期
●貿易条件、決済条件、返品条件、契約更改条件等
●契約条件
●売手や買手の果たす研究開発、マーケティング、アフターサービス等の機能
●売手又は買手の果たす機能・負担するリスク
●売手や買手が取引において無形資産の使用
●売手又は買手の使用する無形資産
●売手や買手の市場開拓・浸透政策等の事業戦略
●売手又は買手の事業戦略・市場参入時期
●価格や利益率等に影響を与える政府規制(価格規制等)
●政府規制・市場の状況
移転価格算定方式
比較対象取引
あるべき移転価格

3 機能とリスクの分析

機能とリスクの分析をもう少し検討してみましょう。

機能分析は企業の活動を機能別に分析し、その企業が各機能に応じてどれだけ付加価値の獲得に貢献しているか、またどれだけリスクをとっているかを知る作業です。貴社の場合、貴社と貴社の米国子会社が担う機能を分析してください。分析にあたっては、次のように機能を分類することが妥当でしょう。

- 新薬の開発（基礎研究から当該製品が上市されるまで）
- 当該製品の生産
- マーケティング
- 広告宣伝
- 原材料および製品の発注・受注
- 製品の保管
- ファイナンス

●全般的業務管理

貴社と貴社の米国子会社がどのようにこれらの機能を担うのかを分析し、文書化してください。機能分析を実施する過程で大事なことは、企業が事業を遂行する上で被るかも知れないリスクを抽出し、そのリスクは誰が負担するのか、つまり貴社なのか、あるいは貴社の米国子会社なのかを明らかにする必要があります。これをリスク分析といいます。

貴社が事業を遂行する上で被るかも知れないリスクを参考のためここに例示します。

・新薬が認可されないリスク
・製造物責任リスク
・製品の生産・保管から発生するリスク
・貸倒れリスク
・為替リスク等

機能分析を通じて当該事業のため各々の会社が必要とする投下資本の額および必

要経費の額なども明らかになります。**戦略的移転価格を立案するにあたって機能、リスク、投下資本が大事な要素になります。**必要経費の額はその事業の損益分岐点を明らかにするのに役立ちます。その損益分岐点に移転価格税制上求められる利益を加えた金額以上に売上が見込まれるかどうか検討してください。採算に乗らない事業は戦略的移転価格立案時点で見直す必要があります。

4 比較対象取引の選定と移転価格算定方式の選択

比較対象取引の選定、つまり、①比較対象取引の存在の可能性の有無を検討、②独立企業間価格として利用できる移転価格算定方式の選択、③比較対象取引の財務データの分析手続を日本企業が独自に実施することは不可能に近いでしょう。移転価格の持つ税務上の問題の重要性から、米国の大手会計事務所ではこれら手続をクライアントのために実施する体制を整えています。最近は社内にエコノミストまで用意していると聞いています。費用と効果を考えますと、これら大手会計事務所を使わざるを得ないのが現状ではないかと思います。

次に、比較対象取引の選定作業と同時に採用する移転価格算定方式の検討も進める必要があります。機能分析を通じて当該事業の全体像が見えてくるものと思います。この過程で通常は貴社が独立価格比準法を採用できるか否かが明らかになるでしょう。独立価格比準法が採用できるならば、その比較対象取引との間の取引価格をもって貴社の移転価格は設定できるでしょう。

貴社のご質問から推察いたしますと独立価格比準法の採用は無理なような気がいたします。そこで、独立価格比準法以外の方法における比較対象取引を選定する必要が生じます。その選定は日本でするのかあるいは米国でするのか（すなわち、貴社に対する比較対象取引を選定するのか、あるいは、米国に販売子会社に対する比較対象取引を選定するのか）を決めなければいけません。そのためにはある程度採用する移転価格算定方式を検討しておく必要があります。

比較対象取引選定と移転価格算定方式のガイドラインは、図表4―3のとおりです。

[図表4−3]

比較対象取引の選定	場所	移転価格算定方式
実施する	日本	原価基準法
同上	米国	再販売価格基準法
同上	同上	利益比準法
実施しない	該当せず	利益分割法

貴社の場合、米国に販売子会社を設立し、貴社で開発・製造した新薬をその米国販売会社を通じて販売をしようとしております。国外関連者のうち、どちらを対象に比較対象取引を選定するかという点に関しては、一般的に、その担っている機能・リスクが少ない方を対象とする方が良いとされています。それは、担っている機能・リスクが少なく単純なものである方が、比較可能性を確保する上において調整が少なくてすみ、比較対象取引を見出しやすいと考えられているからです。

本件の場合、貴社は新薬の開発・製造にかかる特殊な無形資産を有しており、担っている機能・リスクも米国販売子会社よりもはるかに大きいものと思われます。したがって、本件における比較対象取引の選定は、米国販売子会社を対象にして選定することになるでしょう。そして、この場合、採用する移転価格算定方式は再販売価格基準法か利益比準法のいずれかではないでしょうか。

米国販売子会社を対象にして比較対象取引を選定することが決まったら、次は、比較対象取引を選定するための基準を決める必要があります。選定基準としては、次のような項目が該当します。

・比較対象取引は上場企業のものであること
・比較対象取引は医科向け医薬品のディストリビューターであること
・比較対象取引は関連会社間取引でないこと
・比較対象取引は外資系企業のものでないこと
・比較対象取引は製造機能を持っていないこと
・比較対象取引は研究・開発機能を持っていないこと

以上の選考基準を米国上場企業のデータベースに当てはめて検索した結果、10社が選ばれたとします。次に、この10社の営業報告書を入手し、さらにそれらの会社の事業内容や財務内容を検討してください。その検討の結果、何社かの企業は比較対象取引として不適切となり除外されるでしょう。残った企業が比較対象取引になります。

財務データの分析を通じて比較対象取引の選定ができるとともに、選定された企業の修正すべき勘定科目が把握できます。文章で書くと比較対象取引の選定は比較的簡単に実施できるような印象を与えると思いますが、この作業が最も困難を伴う作業で、かつ、最も時間のかかる作業です。

移転価格算定方式をよく検討すれば、お分かりいただけると思いますが、貴社の米国子会社との移転価格は比較対象取引の利益率によって決定づけられます。比較対象取引の利益率は単なる参考ではありません。貴社の海外事業戦略のもとで求められる米国子会社の利益率を確保し、移転価格税制上問題がなく移転価格を設定するには選定された比較対象取引が貴社の目的を満足させるものでなくてはなりません。かつ、ＩＲＳも納得する企業である必要があります。以上のプロセスを経た後、再度採用すべき移転価格算定方式の検討をしてください。

そして、具体的な戦略的移転価格を経営計画に組み込むことで完成です。次の作業が、その具体的内容です。

・選定した方法を用いて移転価格を計算
・その移転価格を使用した米国販売子会社の中期損益予想の作成
・戦略移転価格の決定
早速貴社も戦略的移転価格の立案をしてみてください。

[図表4-4]

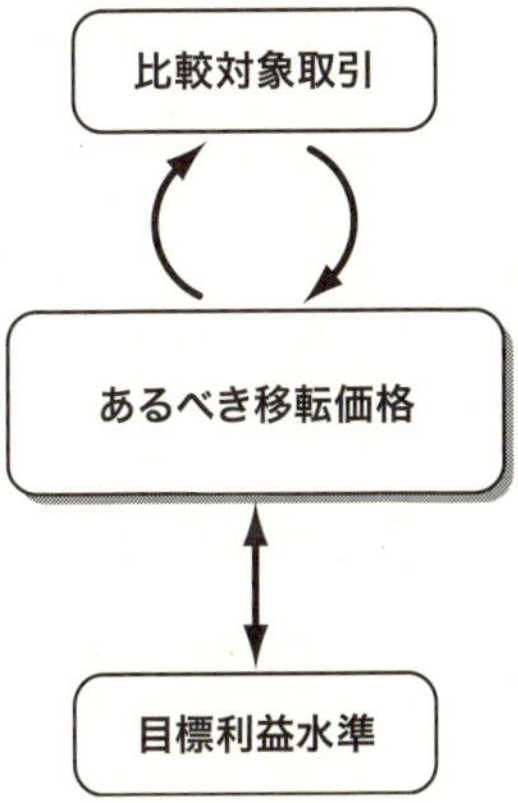

ケーススタディ② 生産拠点が数カ国にちらばっている場合

Q 弊社の海外子会社からの製品の購入価格は、今まで営業上の採算、特に本社の営業部の採算に重きを置いていました。このような状況の中では、移転価格を合理的に決定しようという気運もありませんでした。しかも、各国に弊社の生産拠点ができると、A国からは単価1000円で、B国からは単価1200円で輸入するというようなバラバラな価格設定になってしまいます。

[図表 4-5]

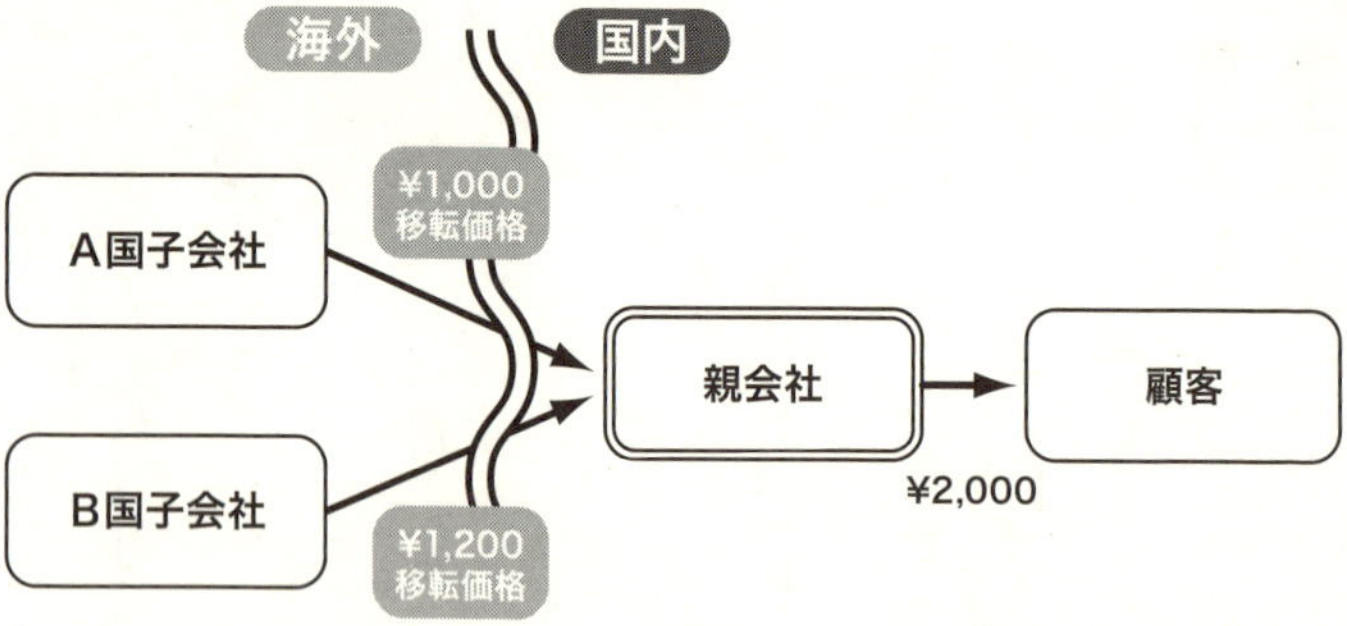

その価格設定をするにあたって、第三者が納得するような理由もないというのが現状です。経営の立場から考えても、各国にある弊社の生産拠点にある子会社の収益性が正しく反映されないおそれが多分にあります。

このような状況のもと、トップより戦略的移転価格の設定を施策することを命ぜられました。戦略的移転価格を設定するにあたってトップよりいわれたことは、

(1) 海外子会社の収益性を正しく把握できるようにすること

(2) 当該子会社が事業を行う国での移転価格税制上問題を生じないこと

（1）の部分は今まで私どもの事業を進めてきた上で発生した問題を財務分析の観点からもう一度見直してみようと思っております。（2）の部分は私どもの手に負えません。私どもの海外事業が中国およびＡＳＥＡＮ諸国を中心に展開していることを考慮した上でのご意見をいただけるとありがたいです。なお、弊社子会社の所在地国はいずれも日本との間で租税条約が締結されております。

A 貴社は、**Ａ国子会社からの仕入価格とＢ国子会社からの仕入価格を一致させる必要はありません。むしろ、価格差を説明できるようにしておくことが大事**です。

貴社の海外子会社が事業を行う国で移転価格税制上問題を生じないこととは、貴社の移転価格に対して各国の税務当局による調査が行われても、（1）税の追徴が発生するような修正が生じないこと、（2）もし修正が生じても税金の支払以外に懲罰的ペナルティーが発生しないこと、（3）わが国において対応的調整が受けられることを意味しています。ここで可能性の問題を考えると、たとえ、税の追徴が発生するような修正が海外で生じたとしても、その修正の内容が説明可能であれば、租税条約に基づく相互協議の手続きを通じて、本邦において対応的調整が受けられる可能性があるでしょう。

しかし、懲罰的ペナルティーが発生した場合、この部分に対してわが国での対応的調整が受けられる可能性は全くありません。つまり二重課税の事態が発生してしまいます。戦略的移転価格を設定する場合、大事な点は懲罰的（結果として、追徴税額の100％から300％になるような）ペナルティーを避ける手だてを考えておくことです。ただし、正当な理由がある場合はペナルティーが免除されることが多いです。

戦略的移転価格を設定するにあたって大事な点は上記の懲罰的ペナルティーを避けることができるような正当な理由を考え、それを文書に残しておくことです。

各国の移転価格税制において、あるべき移転価格の算定のために検討した内容を文書化する要求がなされております。各国税務当局より提出が求められたときは、速やかにその資料を提出しなければなりません。

正当な理由を考え、それを文章に残す

それでは、調査の時具体的に求められる資料はどのようなものでしょうか。大きく分けて〝基本資料〟と〝証憑書類〟の2つです。

〝基本資料〟として作成すべき資料としては、次のようなものが該当します。

(1)事業の概要
(2)組織図、これはすべての関連者の情報を含む必要があります。
(3)経常的に発生しないリスクやコスト・シェアリング等、移転価格税制において特別に求められる事項の情報
(4)関連者間取引の内容
(5)比較対象取引の記述
(6)移転価格算定方式を選定する過程において使用した経済・経営分析や事業予測、その他、採用した移転価格があるべき移転価格であることを証明する資料

(7)会社の帳簿システムおよび証憑書類の概要

〝証憑書類〟として保持すべき資料としては、次のようなものが該当します。

(1)仕訳伝票
(2)会計帳簿
(3)損益計算書
(4)価格に関する資料
(5)国外関連者・比較対象取引に関する各種データを集めたファイル
(6)株主構成と資本勘定の推移を示す資料等

これらの資料は一度作ったらもう二度と作成をする必要のない書類とは性格を異にします。適宜、更新する必要のある書類です。また、この書類は、親会社とそれぞれの現地法人で作成し、保管する必要があります。そこで、皆様に移転価格決定に関する基本マニュアルを作ることをお勧めします。

日本企業は、文書化におカネをかけるのは、馬鹿らしいので問題が起こるまで何もしないという傾向があります。税務調査で移転価格問題が火を噴いて、その火消しのために1億円を弁護士や会計士に支出するより、文書化に備えるために必要な専門家のコストは、その10分の1の支出もしないでしょう。費用と効果を考えた場合、事前に支出するコストの方がはるかに効果的であることは想像に難くないと思います。

海外で成功するためのキーワード「知識を得るには、おカネを使うことです」は、ここでも当てはまります。

ちなみに、わが国においては、２０１０年度（22年度）の税制改正によって、移転価格調査の時に求められる資料の範囲が、措規第22条の10で明記されました。[1]

1

1 国外関連取引の内容を記載した書類

イ 当該国外関連取引に係る資産の明細及び役務の内容を記載した書類

ロ 当該国外関連取引において当該法人及び当該国外関連者が果たす機能並びに当該国外関連取引において当該法人及び当該国外関連者が負担するリスク（為替相場の変動、市場金利の変動、経済事情の変化その他の要因による当該国外関連取引に係る利益又は損失の増加又は減少の生ずるおそれをいう）に係る事項を記載した書類

ハ 法人又は当該法人に係る国外関連者が当該国外関連取引において使用した無形固定資産その他の無形資産の内容を記載した書類

ニ　当該国外関連取引に係る契約書又は契約の内容を記載した書類

ホ　法人が、当該国外関連取引において当該法人に係る国外関連者から支払を受ける対価の額又は当該国外関連者に支払う対価の額の設定の方法及び当該設定に係る交渉の内容を記載した書類

ヘ　法人及び当該法人に係る国外関連者の当該国外関連取引に係る損益の明細を記載した書類

ト　当該国外関連取引に係る資産の販売、資産の購入、役務の提供その他の取引について行われた市場に関する分析その他当該市場に関する事項を記載した書類

チ　法人及び当該法人に係る国外関連者の事業の方針を記載した書類

リ　当該国外関連取引と密接に関連する他の取引の有無及びその内容を記載した書類

2　国外関連取引に係る独立企業間価格を算定するための書類

イ　当該法人が選定した独立企業間価格算定の方法及びその選定の理由を記載した書類その他当該法人が独立企業間価格を算定するに当たり作成した書類（ロからホまでに掲げる書類を除く）

ロ　当該法人が採用した当該国外関連取引に係る比較対象取引の選定に係る事項及び当該比較対象取引等の明細を記載した書類

ハ　当該法人が利益分割法を選定した場合における当該法人及び当該法人に係る国外関連者に帰属するものとして計算した金額を算出するための書類

ニ　当該法人が複数の国外関連取引を一の取引として独立企業間価格の算定を行った場合のその理由及び各取引の内容を記載した書類

ホ　比較対象取引等について差異調整を行った場合のその理由及び当該差異調整等の方法を記載した書類

なお、あるべき移転価格の算定を判定するにあたって、その判断の基となる諸条件は次のとおりです。

(1)あるべき移転価格の決定において関連者自身の持つ知識と経験が生かされていること。

(2)移転価格決定方法はその国の移転価格税制で定めた方法に準拠していること。

(3)納税者はその移転価格決定方法があるべき移転価格(独立企業間価格)になっているという合理的な理由が必要とされる。たとえば、専門家による移転価格の分析が申告書の提出される以前に行われ、その分析に従ってして移転価格方針を決定したことは、合理的な理由となる。

(4)納税者が移転価格における正しい税額を決定するための合理的な努力を行う必要があり、その決定が申告書を提出する前に行われ、かつ同時にそのことを立証する文書を作成する必要がある。

この内容については、前述のケーススタディをご参照ください。

移転価格調査

移転価格調査の引き金

ジェトロの情報によりますと中国での移転価格税制の執行状況は次のとおりでした。

1 調査を受けた企業は、1991年から10年間に8000社を超え、その大半が所得更正を受け入れている。

2 更正を受けた企業を見ると、日系、台湾系、香港系企業の割合が高く、なかでも日系企業が追徴課税されるケースが多く、欧米企業は少ない。

3 日系企業の課税が多い理由は、多くの日系企業は権限を本社に集中し、関連者間の取引価格を親会社が決める。そのため親会社が意図的に所得移転を行っているとの印象を与えやすい。欧米系現地法人の多くは独立採算制のため親会社が取引価格に関与する余地が少ないとみられる。

新聞報道されていませんが、このように多くの企業、特に日本企業が中国の移転価格税制で課税されています。

移転価格調査が実施される可能性が高い企業とは

次に掲げる状況に現地法人が当てはまる場合、移転価格調査が実施される可能性が大きいです。

(1)関連者との取引金額が大きい、あるいは取引類型が多い企業
(2)長期的に欠損がある企業、僅少な利益しかない企業、利益の変動が激しい企業
(3)利益水準が同業他社より低い企業
(4)利潤水準が負担する機能及びリスクと明らかに対応しない企業
(5)タックス・ヘイブンにある関連者と取引がある企業

それらの状況は、納税者が提出した納税申告書に添付される国外関連者に関わる

資料「**関連企業間取引年度報告書**」を税務当局が分析することによって把握されます。ですから、規定されている関連別表を提出しない企業は、たとえ上記（1）から（5）に該当する状況がなくても移転価格調査が行われるでしょう。

特に注意する点は、提出が求められる別表や準備しておくべき資料が不備のときに、移転価格の調査が行われ更正される場合です。その場合、**意図的利益隠しとして懲罰的ペナルティが課される可能性があること**です。

上記は、中国を例にしていますが、すべての進出先の国の税務当局も同様なアプローチを取って移転価格調査を開始するか否かの判断をしています。

移転価格調査の手順

日本に移転価格税制が導入された1986年当初、移転価格調査は、主に日本に進出している外資系企業を対象として実施されていました。しかし、その後、日本企業と国外関連者との間の取引を対象とした調査も増えてきています。さらに、最近では、国税局調査部の法人税調査を移転価格調査専門官が支援するという体制が取られ、通常の法人税調査と移転価格調査とを同時進行で進められていくということも行われています。これは国税局だけに限られたことではありません。複数の税務署においては国際税務専門官を配置し、法人税調査の中で移転価格についても調査することが行われてきています。

このことは、今までは移転価格調査の対象とならなかった取引規模の小さい関連者間取引も移転価格調査対象となる可能性があることを意味します。

ワンポイントアドバイス

移転価格調査の概要

通常の移転価格調査は、(1) 準備調査、(2) 実態調査、(3) 実地調査、(4) 担当者の中間意見書、(5) 更正処分、という流れで進められていきます。

(1) 準備調査

税務当局は、申告書や法人税調査等で収集した情報を分析し、それに基づいて移転価格調査の候補となる業界および調査対象法人を選定します。この調査対象法人選定のための調査が準備調査です。

(2) 実態調査

実態調査は税務当局が、調査対象法人に対して移転価格調査を本格的に開始するかどうかを決定するために行われるものです。実態調査では、実際に準備調査で絞り込んだ法人に臨場して情報収集が行われます。

具体的には、税務当局から、まず、会社概要、国外関連者の概要、損益状況、国外関連取引の概要、取引価格設定方針等の資料提出依頼がなされ、納税者側でそれら要求資料の提出およびその説明を行うという形式で調査が進められていきます。実態調査は、通常、3カ月前後行われるようです。実態調査によって移転価格上の問題がないと判断された場合、その時点で調査は終了となります。

（3）実地調査（本格的な移転価格調査）

実態調査を経て、税務当局が本格的に移転価格調査を開始することを決定した場合、本格的な移転価格調査である実地調査へと移行していくことになります。税務当局は、主に、実地調査において移転価格課税を正当化し、その裏付けとなる情報収集を行っていくことになります。なお、実態調査から実地調査への移行は納税者に何も伝えられることのないままなされていくので、納税者側では、どの時点で本格的な移転価格調査になるのか、また、その判断基準はどこにあるのかについて認識することができません。

(4) 担当者の中間意見書

税務当局は、実地調査がある程度進展し、十分に情報が収集できたと判断した時点で、調査担当者意見書を納税者に提示します。この意見書は、調査担当者が調査対象法人の行う国外関連取引について確認した事実関係、および、それに対する調査方針等を書面によって納税者に示すというものです。通常、納税者からこの調査担当者意見書に対して反論書を提出し、調査担当者意見書において指摘された問題点について議論を交わしていきます。

(5) 更正処分

課税当局は、調査担当者意見書の内容について納税者と十分議論を行ったと判断した後、内部の手続きを経て、最終的に更正処分を行うこととなります。通常、議論が打ち切られた後、2〜3カ月後に更正通知書が発行されるようです。

ワンポイントアドバイス

移転価格と関税のハザマに海外進出成功のカギがある

通関価格が問題にされて更正される関税リスクと移転価格が問題にされて更正される税務リスクは、相反します。

輸入製品を例にとります。通関価格が低いほど関税は安くなるので、税関は、輸入業者が意図的に通関価格を低く設定していると疑念を持つでしょう。つまり、あるべき通関価格より低い通関価格は、税関当局によって更正されるリスクがあります。一方、移転価格が低いほど、輸入業者の利益は大きくなり、日本で支払う課税所得も大きくなります。あるべき移転価格より低い移転価格は、日本の税務当局（課税庁）から歓迎され、更正されるリスクがありません。

その逆に、通関価格が高いほど関税は高くなるので、税関当局は通関価格を問題にすることはありません。しかし、移転価格が高いほど、輸入業者の利益は少なくなり、日本で支払う課税所得も小さくなります。あるべき移転価格より高い移転価格は、日本の税務当局によって更正されるリスクがあります。

その関係を示したのが図表4―6です。

海外の生産子会社で、低価格・高品質の製品を作り輸入しても、あるべき通関価格、およびあるべき移転価格に対する考慮がなければリスクが生じるのです。しかし、リスク・フリーの価格帯があります。それは、移転価格と関税のハザマです。

移転価格と関税のハザマに海外進出成功のカギがあるといえるのです。

[図表 4-6]

●関税と移転価格の関係

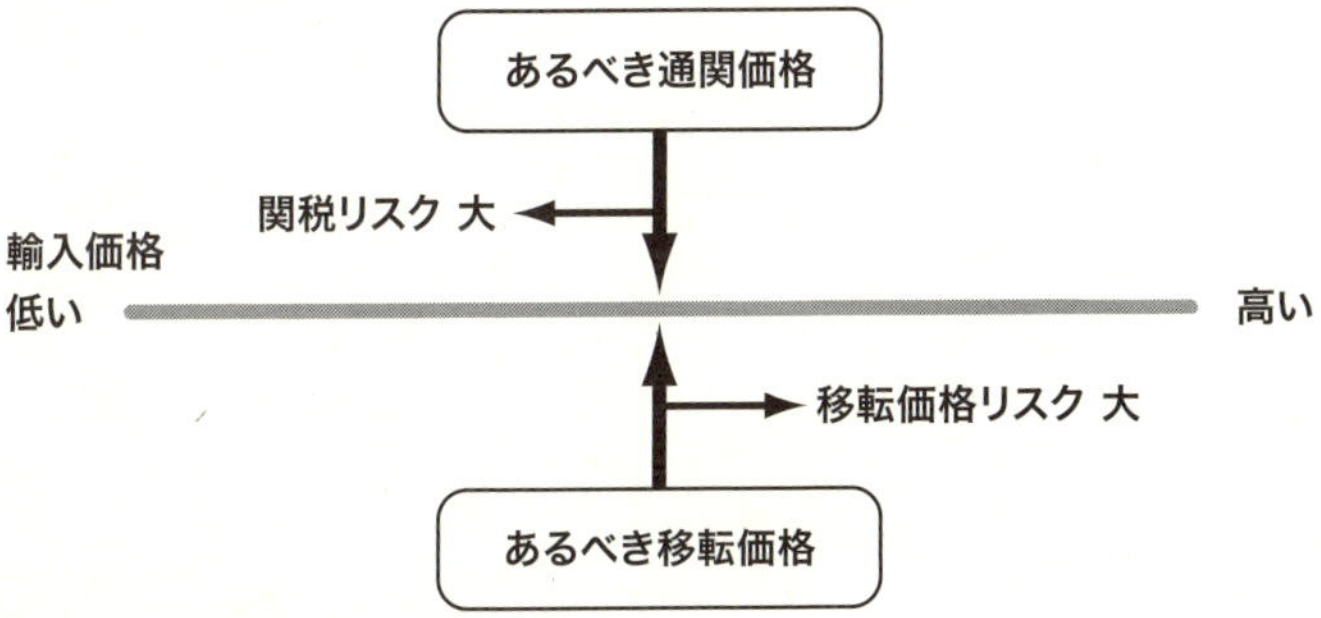

なんだ、こりゃ!?
村田
柴田
ハム
ハム
ハム

Chapter 5

第5章　移転価格税務訴訟

移転価格税務訴訟

わが国において移転価格税制が適用された更正処分を巡って、その適否が裁判によって争われた事案は、公表されている限りにおいて現在のところ4件存在しています。

これら4件の判決のうち1件は納税者が勝訴、その他の3件は国の勝訴という結果となっています。

これらの事案は、どこか通常の取引と異なっているところがあるから課税当局としても更正処分に踏み切ったはずであり、そのうち納税者が敗訴している事案については、裁判所も課税当局の見解を支持し、納税者が採用していた取引価格はあるべき移転価格でないと宣言しているように考えられます。

なぜ課税庁が更正処分に踏み切ったのか、なぜ納税者は訴訟に踏み切ったのかを知ることは有意義なので、本章では移転価格税制の適用に関する問題点等を訴訟という観点から分析してみます。そこで、移転価格税制に関する訴訟事件4件の判決について、その概要を示すこととします。

1 国外関連者への船舶の売却代金は、あるべき移転価格か（今治造船会社事件）
2 国外関連者への貸付金利子は、あるべき移転価格か（タイ金利事件）
3 国外関連者から受取る手数料は、あるべき移転価格か（アドビ事件）
4 国外関連者への製品の販売価格は、あるべき移転価格か（日本圧縮端子事件）

ケーススタディ① 今治造船会社事件　**納税者敗訴**

1 事案の概要

本件は、船舶の製造等を業とする日本法人であるX社がパナマ共和国に所在する国外関連者Y社との間で行った複数の船舶建造請負取引に係る対価の額が、独立価格比準法により算定された独立企業間価格に満たないとして、移転価格税制を適用して更正処分がなされたというものであり、X社は、当該更正処分を不服としてその処分取消しを求めた事案です。本更正処分において課税庁（税務当局）は、独立価格比準法を適用するにあたって、X社と非関連者間で行われた船舶建造請負取引を比較対象取引として採用しています。

[図表 5-1]

●取引関係図

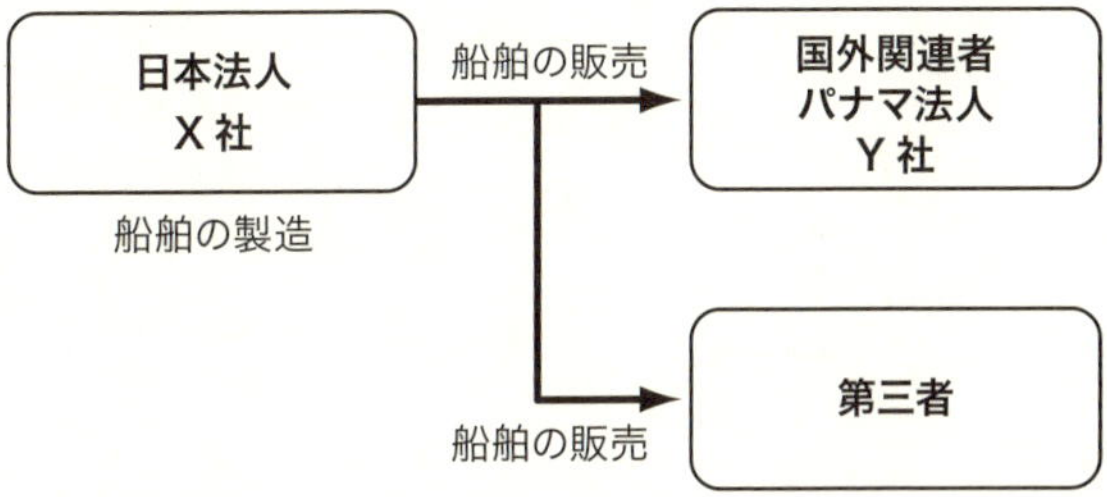

・課税庁は、第三者への販売価格をあるべき移転価格とした。

・納税者は、船舶の建造は個別性が高いので、第三者への販売価格をあるべき移転価格とすることは妥当でない等と主張。

2 争点

本件における主な争点は、（1）本件請負取引に独立価格比準法を採用することの適否、（2）独立企業間価格算定における差異調整の適否、（3）独立企業間価格について「幅」が認められるか、という点です。

・課税庁は、第三者への販売価格をあるべき移転価格とした。

・納税者は、船舶の建造は個別性が高いので、第三者への販売価格をあるべき移転価格とすることは妥当でない等と主張。

3 裁判所の判断

（1）本件請負取引に独立価格比準法を採用することの適否→**適格と判断**

X社は、①船舶建造請負契約取引は個別性が高い取引であるので、比較対象取引の存在を前提とする独立価格比準法は採用できない、②比較対象取引として選定された非関連者船と国外関連者船との間には各建造原価、販売費及び一般管理費を含む総原価（全部原価）の多寡に大きな差異があるため、これらは同種の棚卸資産と認めることができないにもかかわらず、この違いを捨象して独立価格比準法により比較対象船の船価を独立企業間価格とするのは不当である、と主張しました。

これに対して裁判所は、①本件請負取引が個別性の強いものであったとしても、国際的な船舶建造請負取引には取引相場が存在しており、一定の価格水準なるものを観念することができることから、本件請負取引に係る船価と他の取引を比較することによって独立企業間価格を算定することが一般的に不合理であるということはできない、②「同種の棚卸資産」であるか否かは、対象船舶の性状・構造・機能等の物理的・化学的要因に着目して判断すべきであり、これに加えて販売管理費、一般管理費等、取引相手ごとに変動する要素を考慮することは本来予定されていないものといわざるを得ない、としてX社の主張を排斥しました。

（2）独立企業間価格算定における差異調整の適否→**さらなる差異調整は不適格と判断**

X社は、本更正処分を行うにあたり、課税庁は国外関連者間取引と比較対象取引との間の決済条件、建造延期、追加発注、契約月日、追加装備に起因する差異を検討して調整しているが、

①空き船台で国外関連者船を建造することにより船台の完全操業を実現するというX社独自の事業戦略に起因する差異

②工期の長短に係る原価の差異、受注コストの低減等により、国外関連者間取引と非関連者取引では総原価（投下費用）の額が異なることに起因する差異

③船価は取引数量が増えればそれだけが引き下げられる関係にあり、国外関連者

間取引と非関連者取引では取引量が異なることに起因する差異（国外関連者の方が取引数量が多い）

それらに起因する差異については調整されておらず、その点で、本件課税処分には重大な違法性があると主張しました。

これに対して裁判所は、

①X社の事業戦略は、国外関連者との関係を利用して通常の対価とは異なる船価を設定し、国外関連者との間で所得移転を繰り返すものであり、それはまさしく移転価格税制が問題にしている「所得の国外移転」にほかならない

②単に投下費用が少ないという一般的な事情のみでは、取引価格への影響が客観的に明らかであるとはいえず、また、投下費用の節約と取引対価の値引きとの客観的な対応関係は不明といわざるを得ない

③船舶建造請負取引において、取引数量に応じて対価を減額するという一般的な慣行や認識が存在すると認めることはできず、国外関連者の一取引相手当たりの建造数が、非関連者の一取引相手当たりの建造数より多いとしても、それが

取引価格に影響を与えることが客観的に明らかであるとまではいえないとしてX社の主張を排斥しました。

(3)独立企業間価格について「幅」が認められるか↓**本件では、不要と判断。しかし、一般的には、幅の概念が採用される余地はあると判断**

X社は、船舶建造請負取引は、個別性・特異性が強いため、1つの点をもって独立企業間価格を定めることは困難であり、独立企業間価格の「幅」の概念を認めるべきである、と主張しました。

これに対して裁判所は、独立企業間価格を算定するに当たり、比較可能性が同等に認められる取引が複数存在するため、比較対象取引を1つに絞り込むとかえって課税の合理性を損ねると判断されるような場合には一定の範囲（価格帯）が形成、認識できることになり、そのような意味での独立企業間価格の「幅」の概念が採用される余地はあると解されるが、本件の船舶建造請負取引のように、比較対象取引となり得る取引が限定され、あるいは、比較対象取引の候補となり得る取引が複数存在しても、その比較可能性に明らかな差があり、容易に比較対象取引を1つに絞り込むことが可能である場合には、「幅」の概念を用いるまでもなく、最も比較可能性の高い取引を比較対象取引として独立企業間価格を算定することができるから、本件においては、「独立企業間価格の幅」の概念を採用する必要はない、としてX社の主張を排斥しました。

ケーススタディ② タイ金利事件　納税者敗訴

1 事案の概要

本件は、日本法人であるX社がタイ王国に所在する国外関連者Y社に対して行った貸付金に係る金利の額が、独立価格比準法に準ずる方法と同等の方法により算定された独立企業間価格に満たないとして、移転価格税制を適用して更正処分がなされたというものであり、X社は、当該更正処分を不服としてその処分取消しを求めた事案です。本更正処分において課税庁は、非関連者である金融機関等から、本件各貸付と同時期に同通貨による同金額、同期間の借入をした場合を想定し、これを比較対象取引として、その際に付されるであろう金利を基に独立企業間価格（受取利息）を算定する方法を採用し、これをもって独立価格比準法に準ずる方法と同等の方法としています。

2 争点

本件における主な争点は、（1）本件貸付取引が国外関連取引に該当するか、（2）本件移転価格算定方法は独立価格比準法に準ずる方法と同等の方法に該当するか、という点です。

・課税庁は、Y社への貸付け金利が低すぎる。同様な条件下で金融機関が貸出す時の金利をあるべき移転価格とした。

[図表 5-2]

●取引関係図

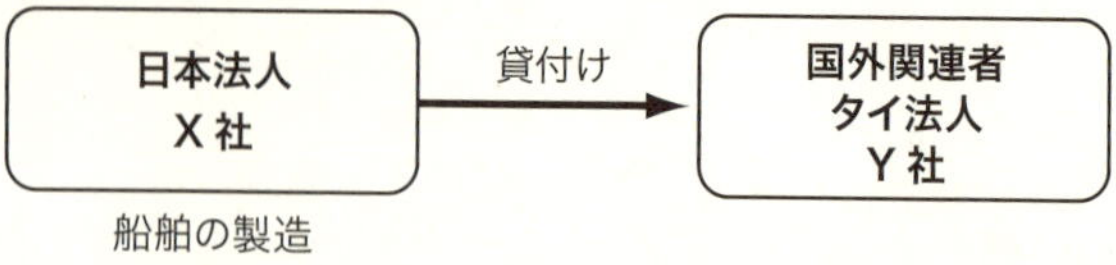

・課税庁は、Y社への貸付け金利が低すぎる。同様な条件下で金融機関が貸出す時の金利をあるべき移転価格とした。

・納税者は、円での調達資金でもって貸付けしたのであるから調達金利を基準とした貸付け金利はあるべき移転価格として妥当であると主張。

・納税者は、円での調達資金でもって貸付けしたのであるから調達金利を基準とした貸付け金利はあるべき移転価格として妥当であると主張。

3 裁判所の判断

(1)本件貸付取引が国外関連取引に該当するか

→実質的に出資であるとの納税者の主張を否定、国外関連取引と認定

X社は、措法66条の4第1項の「国外関連取引」とは、国外関連者から対価の支払を受ける取引をいうところ、本件X社からY社への貸付は、Y社の生産設備取得資金に充当され、貸付開始後4年以内に全額が増資という形で資本金に振り替えられているのであるから、実質的には出資であり、対価（利息）の支払を受ける取引ではないから移転価格税制の適用はないと主張しました。

これに対して裁判所は、X社とY社は、本件貸付に係る契約書の中で元本の返済、利息の支払等について明確な合意をしていることが認められるから、本件各貸付は金銭消費貸借であり、対価（利息）の支払を受ける取引として「国外関連取引」に該当することが明らかである。また、本件貸付に係る金員がY社の生産設備の取得に充てられ、後に資本金に振り替えられたとしても、本件貸付の性質が取引当初に遡って出資に変じるものではない、としてX社の主張を排斥しました。

（2）本件移転価格算定方法は独立価格比準法に準ずる方法と同等の方法に該当するか→**該当すると判断**

本争点（2）については、その各論として

①比較対象取引の要実在性について

②本件取引との比較可能性について

③融資形態としての合理性について

④課税庁主張の金利によることの経済的合理性について

という4点が争われました。

①比較対象取引の要実在性について

X社は、独立価格比準法に準ずる方法と同等の方法を用いる以上は、実在の個別具体的な取引を比較対象取引としなければならない。課税庁が採用した比較対象取引は実在しない仮想取引であり、比較対象取引としての適合性がないと主張しました。

これに対して裁判所は、国外関連取引と比較可能な非関連者間の取引が実在する場合には、当該実在の取引を比較対象取引とすることを原則とするが、そのような取引が実在しない場合において、市場価格等の客観的かつ現実的な指標により国外関連取引と比較可能な取引を想定することができるときは、そのような仮想取引を比較対象取引として独立企業間価格の算定を行うことも、「(基本三法に)準ずる方法」及びこれと「同等の方法」として許容される、としてX社の主張を排斥しました。

②本件取引との比較可能性について

X社は、(ア)課税庁の想定する比較対象取引は、金融機関等による融資取引であるところ、X社のような貸付を業としない一般企業の行う貸付と、金融機関の行う貸付とでは、考慮すべき要素が異なる、(イ)比較対象取引は、タイ国内金融市場でのタイバーツの金利による、タイ国内企業への日本からの融資取引とすべきところ、課税庁の想定する取引は日本の国内金融市場での取引である、(ウ)本件貸付と課税庁の想定する比較対象取引とでは信用度が異なる、等の理由から、本件取引と課税庁の想定する比較対象取引との間には比較可能性がないと主張しました。

これに対して裁判所は、(ア)貸付を行う際の貸手の考慮要素としては、資金の調達コスト、事務経費の額、借手の信用力等であるところ、経済合理性を追求する非関連者間での金銭の貸借取引において、貸手が誰であるかの違いによって、このような考慮要素に有意な差を生ずるとは考え難い、（イ）Ｘ社が本件貸付の基準とした金利は、日本における市場金利であったことが明らかなのであるから、タイの国内金融市場における金利を基準としなければならないとすべき理由はない。また、国際間取引の影響下にある各国の国内金融市場の間で金利等に格差が存在していたとしても、その格差は、裁定取引によって解消され、一定の金利水準等に収斂するのが通常であることからすると、同一通貨の同一条件による金融取引である限り、各市場における金利水準等は、ほぼ同一であると考えることができ、金融市場の違いを殊更に強調する必要はない、（ウ）課税庁の想定する比較対象取引は、借手（Ｙ社）の信用力について、Ｙ社は、設立後間もなく、金融機関等からの借入実績がないことから、少なくともＸ社の信用力を上回ることはないとの前提で、Ｘ社の信用力を基に金利を算定しており、謙抑的な想定として合理性が認められる、として課税庁の想定する比較対象取引についてその比較可能性を認め、Ｘ社の主張を排斥しました。

③融資形態としての合理性について

X社は、課税庁の適用した比較対象取引の融資形態は、スワップレートを調達金利とする長期固定金利での「スプレッド融資」であるが、実務上、スワップレートによる長期固定金利貸付が一般化されている事実はなく不合理なものであると主張しました。

これに対して裁判所は、遅くとも本件貸付が行われた平成9年ころには、一部に長期貸出の基準金利としてスワップレートを使用する例が見られ、平成11、12年ころには、スワップレートがスプレッド貸付の調達金利となるとの認識が、金融関係者の間で一般的となっていたことが認められる。そうすると、スワップレートを調達金利とする長期固定金利でのスプレッド融資は、本件貸付が行われた平成9、10年ころの日本においても、経済的合理性のある貸付手法として十分に実在する余地のある取引であったというべきである、としてX社の主張を排斥しました。

④課税庁主張の金利によることの経済的合理性について

X社は、仮に課税庁が計算するような金利で貸付が行われる例があるとしても、独立企業間においてはこれと異なる金利を設定することも十分考えられるから、課税庁の算出する金利を唯一の独立企業間価格として設定し課税することには合理性がないと主張しました。

これに対して裁判所は、課税庁の主張する独立企業間価格の算定方法が措法66条の4第2項の規定に適合し、**これにより算出される独立企業間価格の数値にも合理性が認められる場合には、これよりも優れた算定方法が存在し、算出される数値にもより高い合理性が認められることについての主張・立証がない限り、課税庁の主張する独立企業間価格に基づく課税について、これを違法ということはできないと**いうべきところ、本件においてX社からそのような主張・立証はない、としてX社の主張を排斥しました。

ケーススタディ③　アドビ事件　納税者勝訴

1　事案の概要

本件は、コンピューター・ソフトウェア製品の販売促進活動等を業とする日本法人であるX社が国外関連者Y社等（本件においては、更正処分対象3事業年度のうち、2事業年度はオランダ法人、1事業年度はアイルランド法人が本件国外関連取引の相手方当事者となっています）に対して行ったソフトウェア製品に関連する販売促進活動等の役務提供取引に係る対価の額が、再販売価格基準法に準ずる方法と同等の方法により算定された独立企業間価格に満たないとして、移転価格税制を適用して更正処分がなされたというものであり、X社は、当該更正処分を不服として

[図表 5-3]

●取引関係図

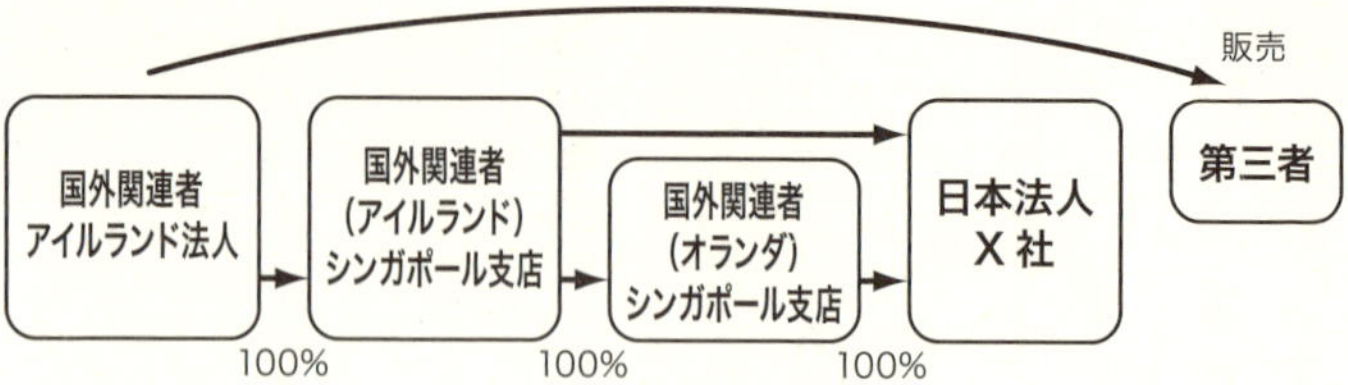

- 課税庁は、日本法人 X 社の機能とリスクが受注販売方式を採る比較対象取引の機能とリスクと類似しているとして、あるべき移転価格を算定した。
- 納税者は、契約に定められた販売促進活動をしているので、あるべき移転価格は、その機能に応じて算定したものであると主張。

その処分取消しを求めた事案です。本更正処分において課税庁が用いた独立企業間価格の算定方法は、X社販売促進活動等の対象となるソフトウェア製品（以下、「P製品」という）と同種又は類似のソフトウェアについて非関連者間で行われた受注販売方式の再販売取引を比較対象取引に選定した上で、わが国におけるP製品の売上高に比較対象取引の売上総利益率を乗じて独立企業間価格を算定するという方法であり、これをもって再販売価格基準法に準ずる方法と同等の方法としています。

2 争点

本件における主な争点は、（1）本件手数料の額が独立企業間価格に満たないものであるか、（2）質問検査権限の行使に係る違法事由があるか、という点です。

・課税庁は、日本法人X社の機能とリスクが受注販売方式を採る比較対象取引の機能とリスクと類似しているとして、あるべき移転価格を算定した。

・納税者は、契約に定められた販売促進活動をしているので、あるべき移転価格は、その機能に応じて算定したものであると主張。

3 裁判所の判断

（1）本件手数料の額が独立企業間価格に満たないものであるか→**独立企業間価格算定の過程に違法性があると判断。よって、更正処分が違法であると判断**

争点（1）について、裁判所の判断は以下のとおりです。

①課税庁が採用した移転価格算定方法が再販売価格基準法に準ずる方法と同等の

方法といえるかに関してだが、「準ずる方法」とは、取引内容に適合し、かつ、基本三法の考え方から乖離しない合理的な方法をいうものと解される。また、「同等の方法」とは、それぞれの取引の類型に応じて基本三法と同様の考え方に基づく算定方法を意味するものであると解されるから、結局、「基本三法に準ずる方法と同等の方法」とは、棚卸資産の販売又は購入以外の取引において、それぞれの取引の類型に応じ、取引内容に適合し、かつ、基本三法の考え方から乖離しない合理的な方法をいうものと解される。

②再販売価格基準法が独立企業間価格の算定方法とされているのは、再販売業者が商品の再販売取引において実現するマージン（以下、「通常の利潤の額」という）は、その取引において果たす機能と負担するリスクが同様である限り、同水準となると考えられているためである。したがって、再販売価格基準法は取引当事者の果たす機能および負担するリスクが重要視される取引方法であり、本件算定方法が、取引の内容に適合し、かつ、基本三法の考え方から乖離しない合理的な方法であるか否かを判断するに当たっても、機能及びリスクの観点から検討する必要がある。

③本件国外関連取引においてX社が果たす機能と、本件比較対象取引において本件比較対象法人が果たす機能とを比較するに、**本件国外関連取引**は、本件各業務委託契約に基づき、本件国外関連者に対する債務の履行として、卸売業者等に対して販売促進等のサービスを行うことを内容とするものであって、**法的にも経済的実質においても役務提供取引と解されるが、本件比較対象法人は対象製品であるグラフィックソフトを仕入れてこれを販売するという再販売取引を中核**とし、その販売促進のために顧客サポート等を行うものであって、X社と本件比較対象法人とは**その果たす機能において看過し難い差異がある**ことは明らかである。また、被控訴人（国）は、役務提供を行うX社と受注販売方式により再販売取引を行う本件比較対象法人の機能およびリスクと類似しており、X社と異なる再販売者固有の機能は、商品の受発注および配送手配、仕入金額の支払および販売代金の受領等の事務処理作業にすぎず、このような事務処理作業は商品の取引価格や売上総利益率に影響を及ぼさないので、モノとサービスを販売する本件比較対象取引の利益率からモノを販売する取引の利益率を控除する必要はないと主張しているが、再販売業者が行う

販売促進等の役務の内容がX社の提供する役務の内容と類似しているとしても、およそ一般的に価格設定にかかわるそれ以外の被控訴人主張の要因等が単なる事務処理作業としてほとんど考慮する必要がないものとはいい難い。さらに、課税庁が採用した移転価格算定方法においては、我が国におけるP製品の売上高に比較対象取引の売上総利益率を乗じて独立企業間価格を算出しているが、P製品の売上高の中にはX社がおよそ関与しないままP製品が売却された場合も含まれるのであって、上記売上高は措法66条の4第2項第2号ロにいう再販売価格とは異なる要素を含むものである。

④また、本件国外関連取引においてX社が負担するリスクと、本件比較対象取引において本件比較対象法人が負担するリスクを比較するに、X社は、本件各業務委託契約上、日本における純売上高の一定の率を乗じた額並びにサービス提供の際に生じた費用の額の一切に等しい金額の報酬を受けるものとされ、報酬額が必要経費の額を割り込むリスクを負担していないのに対し、本件比較対象法人は、その売上高が損益分岐点を上回れば利益を取得するが、下回れば損失を被るのであって、本

件比較対象取引はこのリスクを想定（包含）した上で行われているのであり、X社と本件比較対象法人とはその負担するリスクの有無においても基本的な差異がある。⑤以上によれば、本件国外関連取引においてX社が果たす機能および負担するリスクは、本件比較対象取引において本件比較対象法人が果たす機能および負担するリスクと同一又は類似であるということは困難であり、他にこれを認めるに足りる証拠はない。本件算定方法は、それぞれの取引の類型に応じ、本件国外関連取引の内容に適合し、かつ、基本三法の考え方から乖離しない合理的な方法とはいえないものといわざるを得ない。

そうすると、処分行政庁が本件取引に適用した独立企業間価格の算定方法は、措法66条の4第2項第2号ロに規定する「再販売価格基準法に準ずる方法と同等の方法」に当たるということはできない。

（2）質問検査権限の行使に係る違法事由があるか→**上記争点が違法であることより、争点（2）に対する判断は不要**

争点（1）に関して、裁判所は前述のような判断を示した上で、課税庁の行った本件算定方法を用いて独立企業間価格を算定した過程には違法があり、措法第66条の4第1項に規定する国外関連取引につき「当該法人が当該国外関連者から支払を受ける対価の額が独立企業間価格に満たない」との要件を認めることはできないことになるから、その独立企業間価格を用いてした本件各更正は違法である、として原判決を取り消しました。

裁判所（高裁）は、その余の点については判断するまでもないとして、争点（2）に関しての判断は行っていません。

ケーススタディ④ 日本圧縮端子事件　納税者敗訴（一審判決）

1 事案の概要

本件は、電気、電子接続部品の製造、販売および輸出入等を業とする日本法人であるX社が国外関連者Y社等（本件においては、シンガポール法人、および、香港法人が本件国外関連取引の相手方当事者となっています）に対して、X社製造の電子接続部品等の販売取引に係る対価の額が、原価基準法により算定された独立企業間価格に満たないとして、移転価格税制を適用して更正処分がなされたというものであり、X社は、当該更正処分を不服としてその処分取消しを求めた事案です。本更正処分において課税庁は、原価基準法を適用するにあたって、X社の台湾所在の非関連者6社（以下、「台湾法人グループ」という）に対する電子接続部品等の販売取引を比較対象取引として採用しています。

2 争点

本件における主な争点は、（1）本件国外関連取引における価格は独立企業間価格に該当するか、（2）原価基準法で採用した比較対象取引が適正であるか、（3）独立企業間価格算定における差異調整の適否、という点です。

[図表5-4]
●取引関係図

日本法人 X社（電子接続部品の製造） →（製品の販売）→ 国外関連者 Y社

日本法人 X社 →（製品の販売）→ 第三者 台湾法人グループ

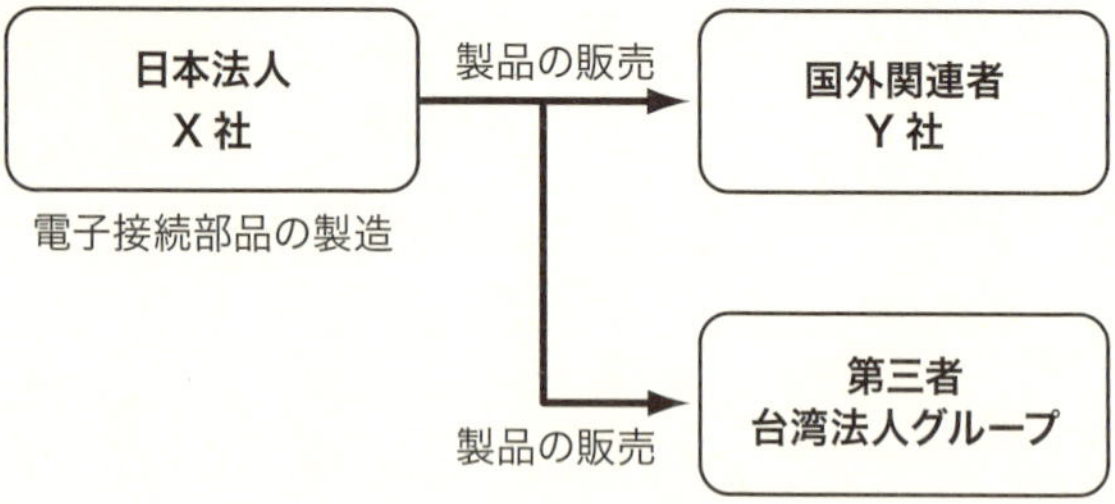

- 課税庁は、第三者へ販売する時得られる利益を基準にしてあるべき移転価格を算定した。
- 納税者は、Y社等への販売価格は、X社の国内利益の最大化が図れるよう長期的経営戦略から導き出されたもので、このような価格こそあるべき移転価格であると主張。

3 裁判所の判断

（1）本件国外関連取引における価格は独立企業間価格に該当するか
→**納税者の価格は、独立企業間**

価格でないと判断

X社は、Y社等からの安定受注は、X社本体の生産設備稼働率の上昇に直結し、X社の国内競争力の強化と利益に貢献しているとともに、X社は、Y社等との間での販売価格の設定を同一にして業務の簡素化や販売と生産の流れの円滑化・柔軟化、販売量の最大化による国内利益の最大化を図っているのであるから、本件国外関連取引に係る価格は、このようなX社の経営戦略から合理的かつ自然に導き出されたものであって、このような価格こそが独立企業間価格である、と主張しました。

これに対して裁判所は、本件国外関連取引は関連者間における取引であるから、その価格設定にいかにX社にとっての経済合理性があるとしても、それが独立企業間価格そのものであるとはいえないことはもとより、当該価格がX社にとって経済合理性を有する理由が、正に当該取引が関連者間取引であるがゆえであるというのであれば、そのような価格は、自由競争市場において同一又は類似の条件の下に同様の取引が非関連者間で行われた場合の価格と解する余地はない。しかるところ、本件国外関連取引に係る価格がX社にとって合理性を有するのは、正に関連者との間の取引であるからこそ構築されている、としてX社の主張を排斥しました。

(2) 原価基準法で課税庁が採用した比較対象取引が適正であるか→適正であると判断

X社は、課税庁が採用した比較対象取引について、①台湾法人グループに対しては信用状を開設する間もなく出荷せざるを得ない場合が多く、X社が回収リスクを負う点、②Y社等らが市場とする香港およびシンガポールは大陸市場であって競争が激しいのに対し、台湾は価格的にそれほどの競争がない市場である点、③Y社等らは商社であるのに対し、台湾法人グループはハーネスメーカー（電線の取付けや部品の組立てなど、仕入れた部品に新たな機能を付与することを業とするもの）であって、市場における機能や立場が全く異なる点、で本件国外関連取引との間に重大な定性的差異があり、その差異を調整することができないのであるから比較対象取引たりえない、と主張しました。

これに対して裁判所は、それぞれ次のような判断を示しX社の主張を排斥しました。

①の回収リスクの差異について、X社は、信用状を開設する間もなく出荷せざるを得なかった割合がどの程度存在するのか、その際に本件価格表の価格を適用したのか否か、適用しなかったとすればいかなる価格とされたのか等の点について比較的容易に明らかにできると推認されるにもかかわらず、なんら明らかにしておらず、また、このような出荷方法は緊急の場合に例外的に用いられたにすぎないことが推認されることから、当該回収リスクの差異が存在していたとしても、それが通常の利益率に重大な差異を生じさせるようなものであるとまで認めることはできない。

②の市場の差異については、X社は、Y社等との間で販売価格設定を同一にして、Y社等があたかも一体の取引先であるかのように取り扱うことで、業務の簡素化、販売と生産の流れの円滑化・柔軟化を図っているというのであるから、Y社等に対する販売価格に関する限り、取引市場間の差異を考慮に入れていないことが明らかである。加えて、X社の社内で作成した書面等においては、営業現場では台湾市場における価格競争は厳しいとの認識を有していることがうかがわれる等、香港市場

およびシンガポール市場が他の市場にも増して厳しい競争環境であったと直ちに認めることはできない。

③の取引段階の差異については、台湾法人グループのうちの少なくとも1社が商社であることについて当事者間に争いがなく、また、X社は、台湾法人グループに属する商社とハーネスメーカーの双方に対し、ほぼ同一の内容である本件価格表に基づいて製品を販売していたことが明らかである。加えて、本件比較対象取引における売手の機能に着目すれば、X社が台湾法人グループ各社に販売している製品はいずれも同種又は類似のものであり、X社はいずれの取引においても製造卸として位置付けられることが明らかであるから、本件国外関連取引と本件比較対象取引において、売手の機能にも差異はないということができる。

（3）独立企業間価格算定における差異調整の適否→**調整は不適格と判断**

X社は、①取引段階、および、売手の果たす機能に関して、Y社等は商社であるのに対し、台湾法人グループはハーネスメーカーであるため、本件国外関連取引と本件比較対象取引とを比較するためには、後者における利益率から商社機能に係る利益率を控除する旨の調整が必要である、②契約条件に関して、X社とY社等との取引に比べて、台湾法人グループとの取引は受注から納期まで期間が短く、稼働中の生産ラインをいったん止めた上で割込生産により対応せざるを得ないため生産コストの上昇を招く、また、取引数量に関して、金型の取付け、取外しに要する時間を考慮すると、同じ製品でも1回の発注量に差があれば、製造時間ひいては製造コストは発注量が大きい方が下がることは明らかである、と主張しました。

これに対して裁判所は、それぞれ次のような判断を示しX社の主張を排斥しました。

①の取引段階、および、売手の果たす機能に関しては、前記（2）③で説示したとおり、これら諸事情が通常の利益率に重大な影響を与えているとまでは認めることができない。

②の契約条件に関しては、X社の証拠資料である分析報告書は、その結論において、受注金額が年間1億円に満たない台湾法人グループからの発注分を生産するた

めに13億円以上の機会原価を喪失しているという、およそ経済合理性を有しない結論を導いていることだけからしても直ちにその内容を採用することはできない。また、分析報告書からＹ社等からの受注分には割込生産が一切生じないとの前提が採り得ないことが明らかである。また、取引数量に関しては、本件国外関連取引と本件比較対象取引との間には差異が認められるが、その範囲は4倍以内にとどまっているところ、通常は、取引規模の差異が10倍以内である場合には、その調整は不要と解されている。

ワンポイントアドバイス

相互協議について

税務当局によって移転価格税制を適用した更正処分がなされた場合には、その対象となった国外関連者との間で二重課税が生じることになります。わが国において、この二重課税の解消を図るための方法としては、（1）相互協議、および、（2）税務争訟、という2つの手続きがあります。

相互協議手続きの概要

相互協議は租税条約で定める手続きであり、日本の権限ある当局（国税庁）と移転価格課税の対象となった国外関連者の所在地国の権限ある当局との間の協議によって、移転価格課税が行われた場合等に生じる二重課税の解消を図るというものです。相互協議の申立ては、納税者が「相互協議申立書」及び添付資料を提出し、税務当局がその申立てに理由があると認める場合には、

ワンポイントアドバイス

相手国の権限ある当局に相互協議を申し入れ、相手国の権限ある当局がこれを受入れることによって開始されます。添付書類としては、更正通知書の写し、当該課税に係る事実関係の詳細、当該課税に対する申立人の主張の概要、当該申立ての対象となる取引の当事者間の直接若しくは間接の資本関係又は実質的支配関係を示す資料などが該当します。

国税庁が２００９年10月に公表した「平成20事務年度の「相互協議を伴う事前確認の状況（APAレポート）」について」によると、追徴課税がなされ二重課税状態となった企業が両国の権限ある当局に「二国間協議」を申請したのは30件ありました。なお、過去の申請が決着し

[図表 5-5]

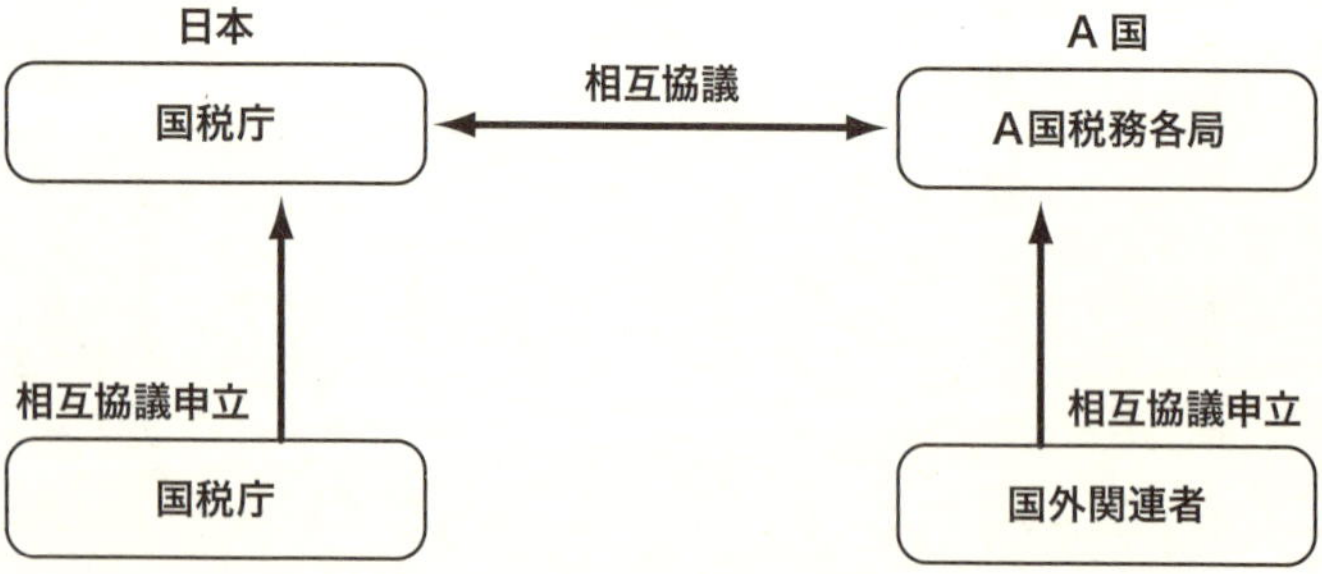

たケースは23件ありましたが、繰り越しも64件ありました。また、平成20事務年度末時点において日本と相互協議を行っている国は22カ国に上っています。

相互協議手続きの流れ

相互協議手続きは、納税者が相互協議の申立を行い、税務当局がその申立てに理由があると認める場合には、相手国の権限ある当局に相互協議を申し入れ、相手国の権限ある当局がこれを受入れることによって開始されます。なお、納税者が相互協議の申立を行うにあたっては、税務当局に対する事前の相談を経た後に申立を行うのが一般的です。

相互協議は通常、年数回の直接会合方式により行われます。さらに、直接会合のほか、電話、ファックス、レター交換等を通じて随時意見交換が行われます。なお、相互協議は政府間における非公開協議の形態が採られているため、申立人は協議に参加することができません。このため、通常、申立人

ワンポイントアドバイス

は協議担当者から適宜相互協議での議論内容、進捗状況等の説明を受けることとなります。

協議が最終段階となり合意の目途が立った時点で協議担当者は合意案をまとめます。そして、その合意案の内容が書面により申立人に示されます。申立人はその合意内容に同意するかどうかを検討した後、その意志を伝えます。申立人が当該合意内容に同意した場合、両国権限ある当局間で正式な合意が結ばれます。そして、国税庁より、納税者に対して合意に至った年月日および合意内容を示した通知が交付されることによって、相互協議手続きは終了します。

その後、その合意内容を実現するための国内手続きが取られます。具体的には、相互協議において、日本の所得が多いという内容で合意に至った場合、日本の税務当局は、合意内容に応じて減額更正を行い、それに対応する税額を還付することとなります。これは「対応的調整」と呼ばれています。

たとえば、①日本で課税したが、その課税した所得移転額よりも低い金額

[図表 5-6]

●相互協議手続きの流れ

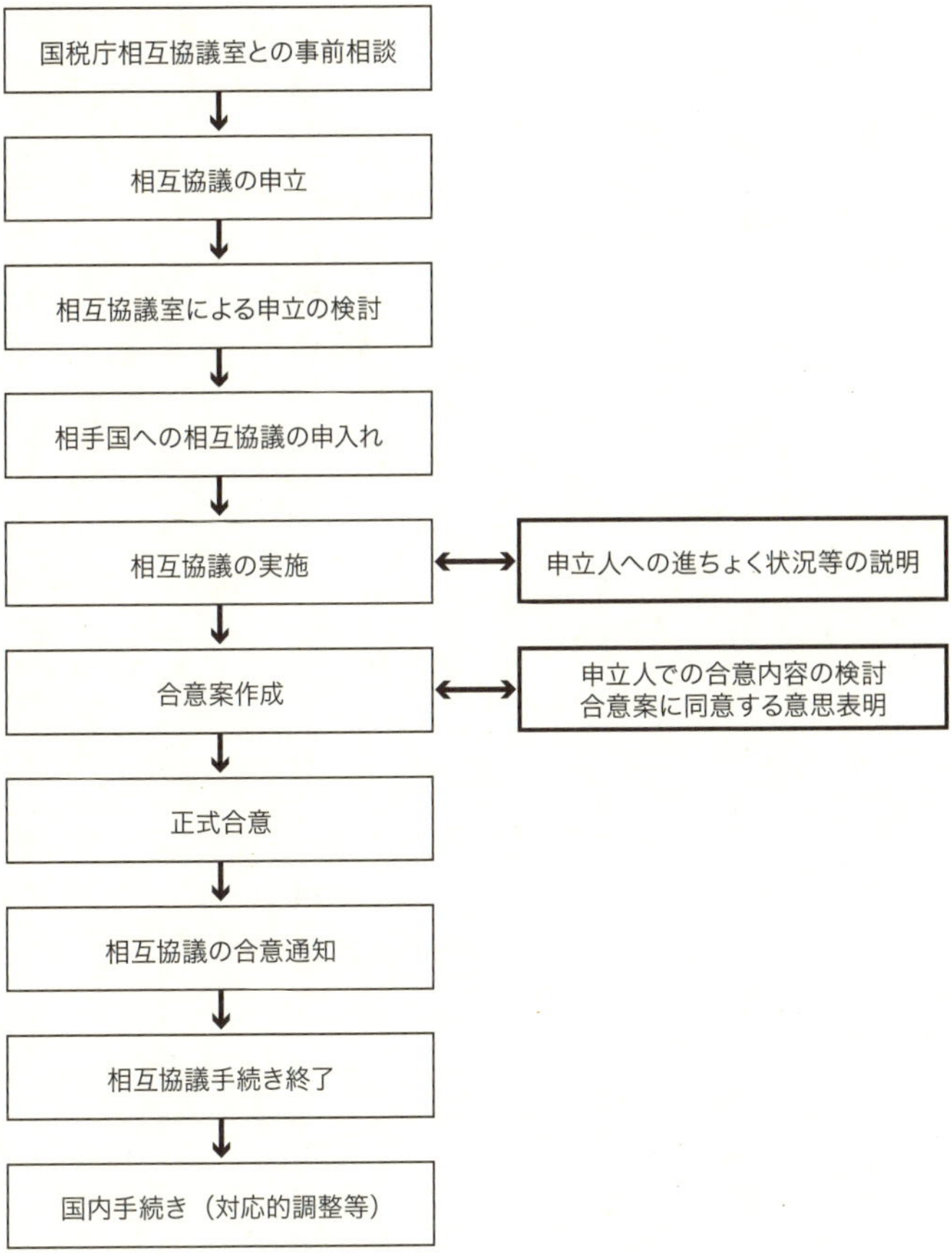
国税庁相互協議室との事前相談
相互協議の申立
相互協議室による申立の検討
相手国への相互協議の申入れ
相互協議の実施
申立人への進ちょく状況等の説明
合意案作成
申立人での合意内容の検討
合意案に同意する意思表明
正式合意
相互協議の合意通知
相互協議手続き終了
国内手続き（対応的調整等）

で合意した場合には、税務当局が職権による減額更正を行う、②海外で課税され、日本に過剰に所得が帰属しているという合意がされた場合は、納税者から更正の請求を行い、減額更正がなされる、という手続きが取られるのです。

なお、相互協議にあたって、権限ある当局に対しては「二重課税の解消のために努力する」という努力義務は付されていますが、合意する義務は負っていません。このため、両国間が合意に至らず、交渉が決裂する事例もあります。

このため、国内法による救済の道を確保しておくという目的から、相互協議の申立を行うにあたっては、異議申立も同時に行い、そして、異議審査は保留にして、相互協議を先行して進めていくよう要望する形態をとるのが一般的です。

ワンポイントアドバイス

事前確認制度（APA）について

移転価格税制が適用されて更正処分を受けた場合、その追徴税額は巨額なものとなります。このような事態を避けるため、納税者側でとれる対策としては、（1）文書化、および、（2）事前確認、の2つがあげられます。しかし、（1）の文書化によっては、移転価格課税リスクを減少することはできても、完全に取り除くことはできません。これに対して、（2）の事前確認制度は、将来の移転価格課税リスクを完全に排除することが可能となり得えます。

事前確認制度の概要

事前確認制度は、納税者が税務当局に申し出た独立企業間価格の算定方法等について、税務当局がその合理性を検証し確認を与えた場合には、納税者がその内容に基づき申告を行っている限り、移転価格課税を行わないという

ワンポイントアドバイス

ものであり、1987年に世界に先駆けてわが国が最初に実施した制度です。事前確認の目的は、独立企業間価格の算定に関して、税務当局と納税者との間で事前に確認することにより、移転価格課税に関する納税者の予測可能性を確保し、移転価格税制の適正・円滑な執行を図ることにあります。

事前確認には、一国のみの事前確認（「ユニラテラルAPA」と呼ばれている）および相互協議を伴う事前確認（「バイラテラルAPA」と呼ばれている）があります。ユニラテラルAPAは、納税者が日本国内においてのみ税務当局に独立企業間価格の算定方法等について確認を求めるものでありますが、この場合は国外関連取引を有する外国の納税者が外国税務当局から移転価格課税がなされるリスクの回避までは保証されません。他方、バイラテラルAPAでは、独立企業間価格の算定方法等について、当該取引の当事者を所轄する権限ある当局間で相互協議を行い、移転価格課税についての予測可能性を確保すると同時に二重課税のリスクを回避することを目的としています。バイラテラルAPAでは納税者に双方の税務当局から法的安定性を得ることができるため、日本を含む多くの国で相互協議を伴う事前確認が行われています。日本の税務当局も、特別な事情がない限り、バイラテラルＡＰＡを推奨する立場をとっています。

国税庁が２００９年10月に公表した「平成20事務年度の「相互協議を伴う事前確認の状況（ＡＰＡレポート）」について」によると、平成20事務年度における相互協議を伴う事前確認の発生件数は130件でした。これを10年前の平成10事務年度と比較すると約10倍の水準となっています。また、合意件数は91件ありましたが、繰り越しは261件ありました。

また、平成20事務年度末時点において日本と相互協議を行っている国は22カ国あり、そのうち、相互協議を伴う事前確認を行っている国は18カ国に上っています。

事前確認手続の流れ

事前確認は納税者の申出により開始されます。相互協議を伴う場合の事前確認手続は、概ね、（1）事前確認の申出、（2）国税局担当課での審査、（3）相互協議および合意、（4）年次報告書の審査等の4段階に分けることができます。

ワンポイントアドバイス

（1）申出

納税者は事前確認の申出に当たり、税務当局に事前に相談することができます。相互協議を前提とする場合には、局担当課、庁担当課および庁相互協議室の三者がこの事前相談に参加します。通常、納税者はこの事前相談を数回行った後、事前確認の申出を行うこととなります。事前確認の申出書は所轄税務署又は所轄国税局に提出します。この際、局担当課等による申出内容の審査が円滑に行われるよう、原則として、納税者は事前確認申出に必要な書類（移転価格事務運営指針5―3）を添付します。

（2）審査

事前確認の申出書が提出されると、局担当課は担当者を決めて審査に着手します。局担当課の審査担当者は、事前確認申出書に添付された資料のほか、事前確認の審査に必要であると認められる資料の提出を求めます。その後、審査終了時、局担当課は庁担当課に審査報告を行います。相互協議を伴う事前確認の場合、庁担当課は、課内のチェックを行った上、同報告書を相互協議室に回付します。審査にあたっては、局担当課は移転価格事務運営指針5—11（事前確認）に留意しつつ審査を行います。

（3）相互協議および合意

相互協議を伴う事前確認の場合、相互協議担当者は審査の結果を基に日本側の考えをまとめたポジションペーパーを作成します。相互協議は通常、年数回実施され事実関係等の確認が行われます。協議が申出内容と同じ内容の合意に至った場合、協議担当者から納税者および局担当課あてにその合意内容を示す通知が送付されます。そして、当該合意を受けて局担当者は納税者

ワンポイントアドバイス

あてに確認通知を送付します。協議が申出内容と異なる内容の合意に至った場合、協議担当者から納税者および局担当課あてにその合意内容を示す通知が送付されます。そして、納税者はその合意内容に従った修正申出を提出するのです。

納税者からの修正申出の提出を受けて、局担当課は納税者あてに確認通知を送付します。局担当課からの確認通知をもって、事前確認手続きは正式に完了することになります。

ちなみに、ユニラテラルＡＰＡの場合は、局担当課の審査の結果、納税者が申し出た独立企業間価格の算定方法等が最も合理的であると認められない場合には、局担当課は申出の修正を求めることとなります。その際、納税者が修正に応じない場合には、局担当課は不確認通知を送付することになります。他方、申出内容がそのまま確認されるか、あるいは申出が修正された場合には、局担当課は納税者に確認通知を送付し、これをもって事前確認手続きは正式に完了することとなります。

（4）年次報告書の審査等

納税者は、事前確認の確認通知を受けた後、確認対象事業年度の各年の確定申告書の提出期限又はあらかじめ通知に定められた期間内に、申告内容が事前確認の内容と合致しているか否かを明らかにする年次報告書を提出しなければなりません。局担当課は、必要に応じ、確認法人から説明を求めるほか、確認法人に臨場し検討を行うこともあります。申告内容が確認内容に合致していないことにより、所得金額が過少となっていた場合には、修正申告による所得金額の調整が必要となります。また、相互協議を伴う事前確認手続で、所得金額が過大となっていた場合には相互協議手続が必要となります。確認法人は相互協議申立書を提出し、相互協議の合意内容に従い補償調整の処理（更正の請求）を行うことになります。また、重要な前提条件について、事情の変更が生じた場合にも、改めて相互協議を申し立てる必要があります。

事前確認申請の利点

事前確認制度の利点としては、①納税者側から移転価格算定方法の提案ができる、②移転価格を幅で捕らえることが認められ得る、③税務調査に比べ精神的負担が少ない、④一度確認を受ければ、その確認された条件を満たしている限り移転価格課税が行われることはない等、が挙げられます。

その一方で、①申請から確認受領までにはある程度の時間を要する、②納税者から提案した移転価格算定方法に関して、税務当局との意見の食い違いが解消されない場合、確認を受けられない可能性がある、③その場合、税務調査に移行されるリスクがある、等といったデメリットも存在します。

税務争訟制度について

わが国の税務争訟制度は、行政上の救済手段である「不服申立て」と、司法上の救済手段である「税務訴訟」の二段構えになっています（図表5―7）。すなわち、納税者が税務署長（国税局長）の行った更正等の処分に不服がある場合、まず、不服申立てを行い、そして不服申立てに対する行政庁の下す裁決になお不服があったときに、はじめて司法の判断を仰ぐことができるのです。

これが、税務訴訟における「不服申立て前置制度」であり、一般の行政訴訟とは異なった特質を持っています。不服申立てについては、処分庁である税務署等に対する「異議申立て」と、行政機関内にある国税不服審判所（長）に対する「審査請求」の二審制が採られています。

異議申立て手続の概要

国税に関する更正処分に不服がある場合には、まず、その処分庁である税務署または国税庁に対し、異議申立てをすることができます。青色申告書に係る更正処分等の場合には、異議申立てを経ずに、直接、審査請求をすることもできます。

ワンポイントアドバイス

異議申立ては代理人によってもすることができます。納税者は税理士、弁護士その他適当と認められる者（複数可）を選任することができます。よって、納税者は、その税実務に精通した顧問税理士や、後々、税務訴訟を予定しているのであれば、弁護士、または、その両者と、事情にあわせて専門家への委託を考えることになります。

異議申立てがなされると、税務署または国税庁では、その処分を担当した者以外の職員（税務署には、異議申立事案を専門に担当する職員が置かれている）が改めて調査を行い、その結果を納税者に通知します。これを「異議決定」といいます。

税務署長や国税庁長官は、納税者の異議申立てに理由があると認めたときには、異議決定により、更正処分の全部または一部を取消したり変更したりします。しかし、もともとの処分以上に納税者に不利益になるような変更をすることはできません。

審査請求手続の概要

納税者が、異議申立てに対する税務署（又は国税局長）の異議決定に、なお不服があるときは、国税不服審判所長に対して、「審査請求」をすることができます。

国税不服審判所は、税務署や国税局から独立した第三者的な立場で納税者の正当な権利や利益を救済する機関です。審査請求は、異議申立てと同様、代理人によって行うことができます。

国税不服審判所においては、三人以上の国税審判官の合議により、調査、審理が進められ、議決が行われます。この議決に基づき国税審判所所長が裁決をします。

なお、国税不服審判所長の裁決は、行政内部での最終判断であり、原処分

ワンポイントアドバイス

庁である税務署側は、結果に不満があっても訴えを提起することはできません。納税者は、なおも不服があれば、さらに裁判所に訴訟を提起することができます。

1　争訟とは法律関係の存在や形成に関する当事者間の争いをいい、訴訟より広い意味に使用しています。納税者が、税務署長（国税局長）の行った国税に係る更正・

[図表 5-7]

●わが国の税務争訟制度の概要

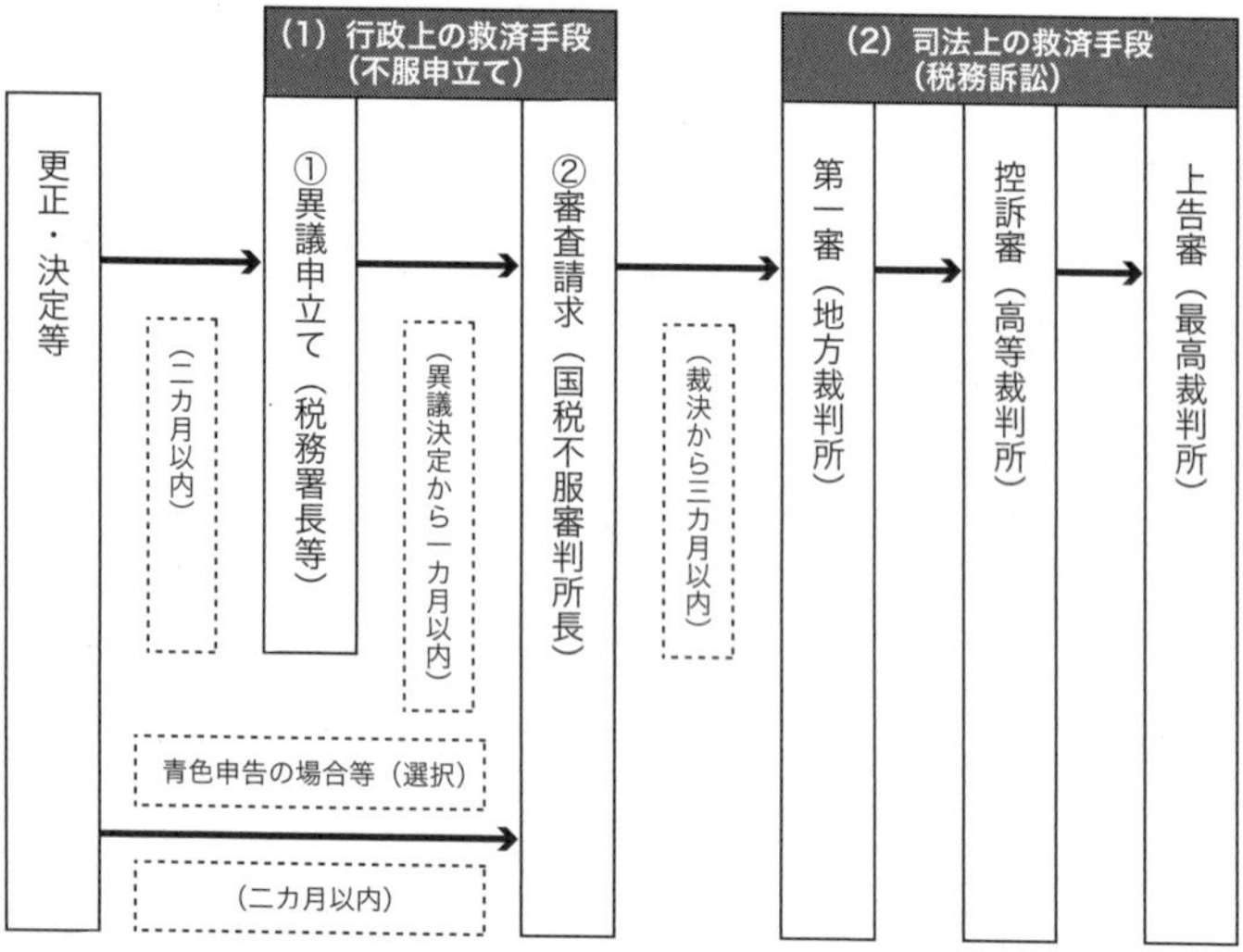

決定等の処分に不服がある場合の争訟の手段として、（1）行政上の争訟（不服申立て）と、（2）司法上の争訟（税務訴訟）があります。

2

（1）不服申立て

①異議申立て：納税者は、更正・決定処分等に不服がある場合、まず、処分を行った処分庁（税務署等）に対して不服を申し立て、処分の取消し等を求めることができます（青色申告に係る更正の場合等は、選択により、直接、審査請求を行うこともできます）。

②審査請求：異議申立てに対する処分庁の決定に、なお不服があるときは、国税不服審判所（長）に対して、審査請求ができます。

（2）税務訴訟：国税不服審判所（長）の裁決に、なお不服があるときには、裁判所に対して訴訟を提起することができます。

3

税務訴訟は、原則として、不服申立てに対する決定又は裁決を経た後でなければ提起できません（不服申立て前置主義）。

ここは私に解説させてください。

Chapter 6

第6章　関税

関税

1 法律としての関税の持つ二面性　通商法×租税法

関税は、税金の側面と国内産業を保護する機能を持つ側面を持っています。

① 税金の側面

関税は、租税法の体系に含まれるものです。関税と輸入消費税は、税関が管轄していますが、所得税、法人税、消費税、相続税等は、国税庁が管轄しています。管轄している部署が異なるので、関税が税法の中で語られることが少ないことは事実です。しかし、関税が税金であることも厳然たる事実です。

関税は、個数や重量を課税標準とする重量税と、輸入品のＣＩＦ価格を課税標準とする従価税がありますが、ほとんどのケースは従価税です。

管轄部署が異なることの歴史的背景を簡単に述べます。

会計帳簿がきちんとしていなかった昔は、税関のような一定の場所で、税を捕捉するのが税務行政上効率的でありました。

その後、会計帳簿制度が普及し、基幹税が関税や酒税から所得税や法人税に移りますが、税関は通商の要としてのポジションも有しており、関税、輸入消費税・付加価値税の課税を行っているのです。

② 国内産業を保護する機能を持つ側面

通商法の中核をなす法律は、外為法、関税法です。つまり、関税法は、通商法の体系にも組み込まれるものです。それなので、**関税は租税法と通商法の二面性を持つのです。**

租税法と通商法の二面性を図にすると図表6－1のとおりです。

通商法の体系は、先進国でも同様の法体系を有しています。関税法は、通商法の体系でいえば、図表6－1において交わる部分、通商法の中の税金について定めている部分にあります。外為法関係は経済産業省が、外為法以外の他法令および輸入品の販売・流通関連国内法は、それぞれの担当官庁が管轄しています。

[図表 6-1]

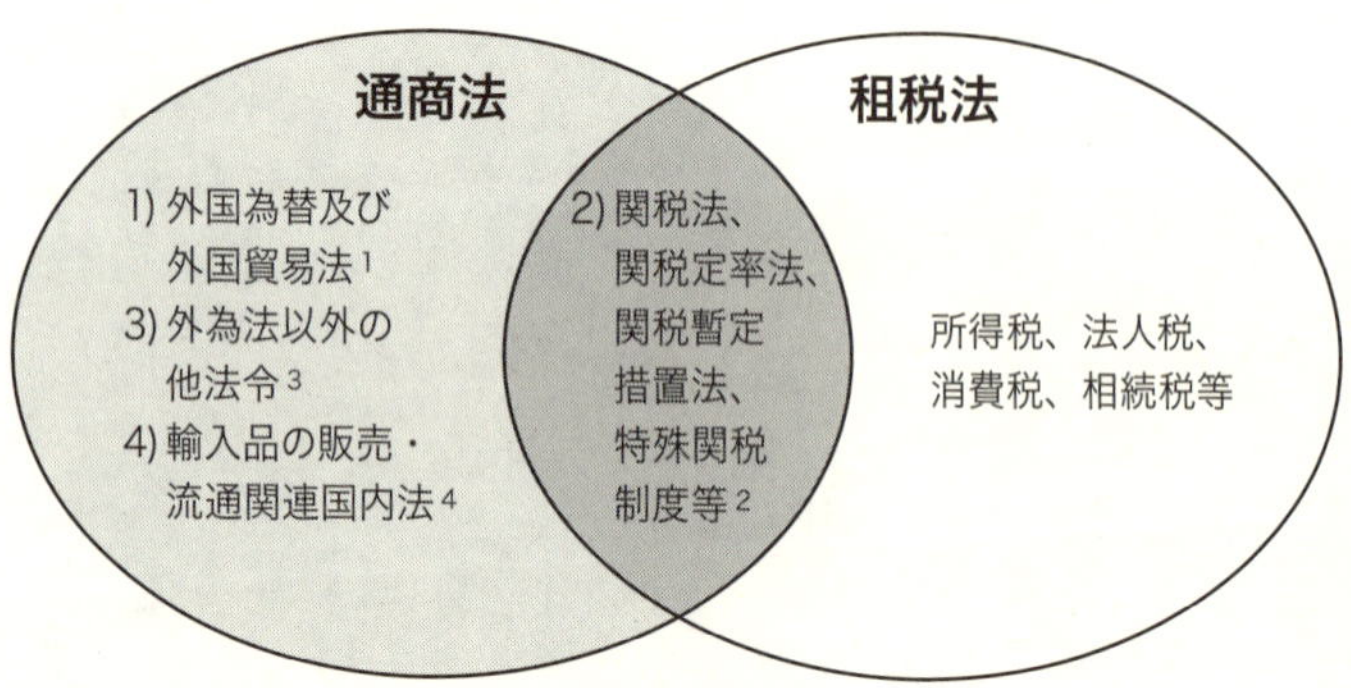

世界に目を転ずれば、外為法関係の調和は国際連合の安全保障担当部署、法人所得税の二重課税防止はＯＥＣＤ（Organization for Economic Co-operation and Development 経済協力開発機構：本部パリ）が、関税評価・原産地規則の調和を含めた通商法関係の調和はＧＡＴＴ（General Agreement on Tariffs and Trade 関税および貿易に関する一般協定）／ＷＴＯ（World Trade Organization 世界国際貿易機関：本部ジュネーブ）が管轄しています。

さらに、輸入貨物の税番号の調和をも含めた関税制度の調和と簡易化はＷＣＯ（World Customs Organization 世界税関機構：本部ブリュッセル）が管轄します。

---

1 外国為替及び外国貿易法は、通称外為法です。輸出入の基本法です。

2 関税法、関税定率法、関税暫定措置法、特殊関税制度等は、輸出入の手続・課税関係等を定めます。これらを本書では関税法とよびます。

3 外為法以外の他法令とは、食品衛生法、薬事法等が主たるものです。それら法律に準拠していることの証明又は確認を得られない場合は、輸出入の許可が得られません。

4 輸入品の販売・流通関連国内法は、家庭用品品質表示法、ＪＡＳ法等日常生活の安全等に関する検査、表示の法律です。輸入してもこれらの法律に反すれば、当然、法令違反になります。

国内だけでなく、世界も縦割り行政が花盛りです。

2 関税　ケーススタディ

ケーススタディ①　アンダーバリュー

Q 弊社はイタリアの会社から、衣料品を輸入しています。発注書には、正規の価格が書かれていますが、通関インボイスには、正規の価格の7割くらいの価格が記載されています。差額の3割はイタリアの会社が有する香港の口座に送金するよう指示されています。衣料品には4.4～20%の関税が課せられます。通関は支障なく終わりました。問題はありますか?

A 問題あります。

個別の説明に入る前に申し上げることがあります。関税の課税ベースはあるべき通関価格でなければなりません。あるべき通関価格には、仕入価格に当該輸入貨物に関する下記のコストが含まれていなければなりません。これは法律で明示しています。

①輸入港到着までの保険料、運賃
②買手（輸入者）負担手数料または費用（除く買付手数料）
③買手（輸入者）により無償でまたは値引きして提供された物品または役務
④輸入取引の条件となっている、特許権等知的財産権の対価
⑤売手（輸出者）に帰属する収益

あるべき通関価格は、通関インボイスの金額でなく発注書に書かれた正規の価格になります。修正申告しない場合、後に税関の事後調査（国税における税務調査にあたる）で指摘される可能性が高いです。指摘された場合は、差額の３割に関税、輸入消費税とペナルティである過少申告加算税、延滞税が課せられます。

ケーススタディ②　エンジン開発サポート費用

Q 弊社はドイツの会社から、エンジンを輸入しています。日本からドイツの会社に、技術者を派遣し、エンジン開発をサポートしました。輸入貨物のインボイスにはエンジン本体の価格を決済金額として記載されています。技術者派遣に関する費用は、関係がないと思い別になっています。何か問題がありますか?

A 問題あります。

あるべき通関価格には、当該輸入貨物に関し、買手（輸入者）により提供された役務の費用を含むことになっています。日本では、エンジンには関税は課せられませんが、輸入消費税が課せられます。今回の場合は、修正申告すべきです。修正申告の場合、ペナルティである過少申告加算税は課せられません。修正申告しない場合は、後に税関の事後調査（国税における税務調査にあたります）で指摘され、輸入消費税とペナルティである過少申告加算税、延滞税が課せられます。

ケーススタディ③　無償の金型提供

Q 弊社は中国の会社から、自動車の部品を輸入しています。中国の会社に対し輸入貨物に必要な金型を無償提供しました。この金型は、輸入貨物の課税ベースに含めるべきものですか？　無償提供ですから、含めてもゼロとなります。

A 含めるべきです。

あるべき通関価格には、当該輸入貨物に関し、買手（輸入者）により無償でまたは値引きして提供された物品、または役務の費用を含むことになっています。無償金型は独立第三者間なら決めたであろうマーケット価格を算定し、課税ベースに含めるべきです。日本では、自動車部品には関税は課せられませんが、輸入消費税があるべき通関価格に対して課せられます。今回の場合は、修正申告すべきです。修正申告の場合、ペナルティである過少申告加算税は課せられません。

ケーススタディ④　輸入者が支払った滞船料

Q 弊社はスペインの会社から冷凍まぐろを輸入しています。冷凍運搬船が、スエズ運河を通過する際、運河が閉鎖されていましたので、ポートサイドで滞船しました。やむなく弊社は、船会社に滞船料を支払いました。この滞船料は輸入冷凍まぐろの課税ベースに含めるべきでしょうか？

A 含めるべきです。

あるべき通関価格には、当該輸入貨物に関する輸入港到着までの保険料、運賃が含まれます。この滞船料も、関税・輸入消費税の課税ベースを構成しますので、今回の場合は、修正申告すべきです。修正申告の場合、ペナルティである過少申告加算税は課せられません。

ケーススタディ⑤　デザイン開発サポート費用

Q 弊社はアパレル・メーカーです。フランスの会社にデザインと生産を委託して、メイド・イン・フランスの婦人服を輸入しています。フランスの生産委託会社に、別途デザイン料を送金しています。税関の税務調査である事後調査で、デザイン料は、輸入貨物の課税ベースを構成すると指摘されました。デザイン料は含めるべきでしょうか？

A 含めるべきです。

あるべき通関価格には、当該輸入取引の条件となっている、特許権等知的財産権の対価が含まれます。関税と輸入消費税が課せられますので、今回の場合は、修正申告すべきです。修正申告の場合、ペナルティである過少申告加算税は課せられません。

ケーススタディ⑥　関税を合法的に下げる方法

Q 弊社はハンドバッグを輸入販売しております。従来、完成品を輸入していますが、輸入に際して16％の関税を支払っています。関税分を価格転嫁することが難しい状況ですので、なんとかしてこの16％の関税の支払い額を下げることはできないのでしょうか？

A 可能です。

そのためには、関税率表をマスターすることです。そうすれば、輸入の仕方を工夫する知恵が浮かびます。その結果、16％の関税を半分に下げることが可能となります。この節税は、将来日本の消費税率が10―15％に上がった場合、とても役に立ちます。（ワンポイントアドバイス「関税率の適用の指針」P.368参照）

輸入貨物は、輸入時に関税率表の分類に従って、税番号が決まり、関税が課せられ、輸入消費税が課せられます。輸入の時点で、税率の低い品目分類に入るような

[図表6-2]

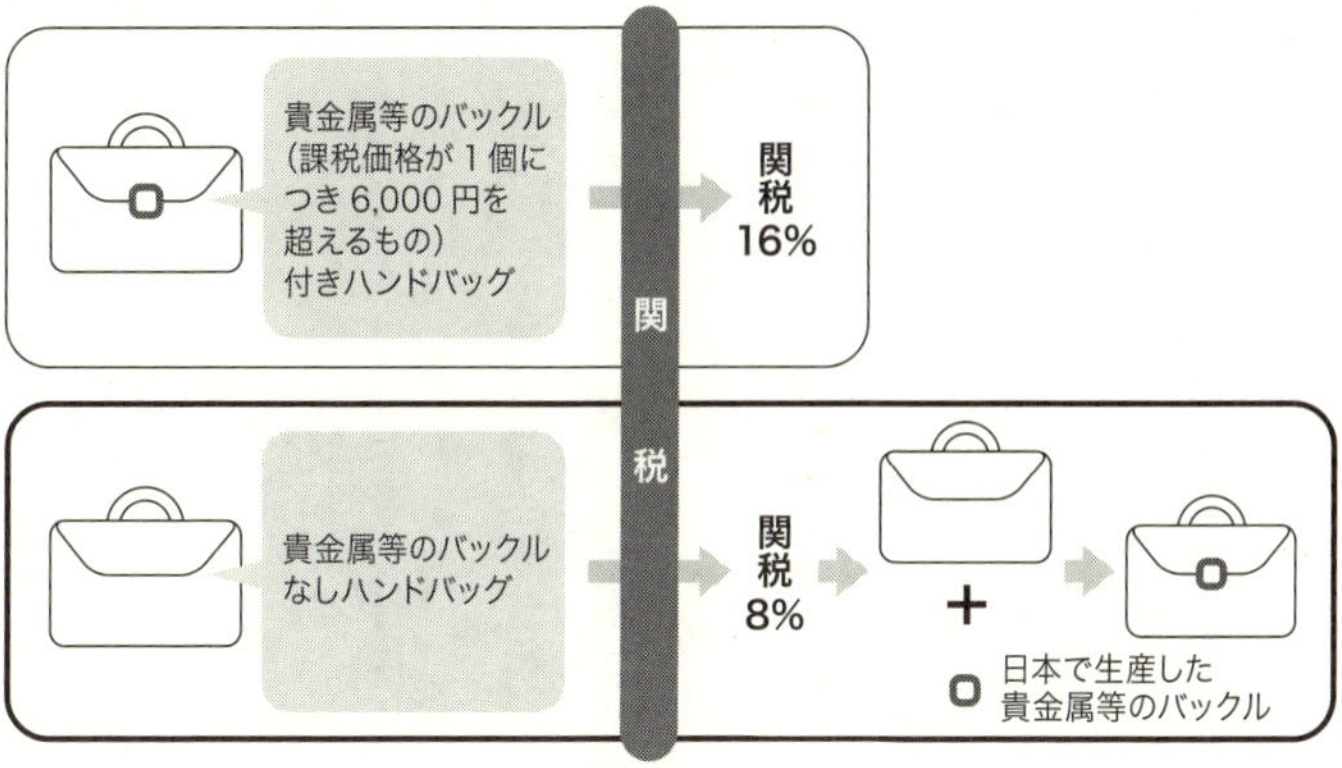

形で輸入貨物を持ち込むことが、製品の販売マーケットにおける勝者になります。外面がプラスチックシート製・紡織用繊維製のハンドバッグを例にして説明します。ハンドバッグに付く貴金属のバックルと共に輸入すると関税率表番号は4202.22.1004になります。ＧＡＴＴ／ＷＴＯ加盟国から、4202.22.1004の貨物を輸入すると関税率は16％になります。しかし、ハンドバッグ本体のみ輸入し、貴金属のバックルを日本で調達すれば、関税率表番号は4202.22.2006になります。ＧＡＴＴ／ＷＴＯ加盟国から、4202.22.2006の貨物を輸入すると８％の関税になります。貴金属のバックルがないハンドバッグだけ欧州から輸入し、貴金属

のバックルを日本で生産し、ノックダウン生産すれば、原産地はメイド・イン・ヨーロッパでありながら、８％の関税で済みます。

ケーススタディ⑦　中国と貿易する場合の留意点

Q 中国は、2001年12月11日にWTOに加盟しました。加盟してからほぼ10年を経過しますが、中国はWTO加盟によりどう変わりましたか？

A ＷＴＯ加盟による変化を時系列的に説明しましょう。ＷＴＯ加盟後の変化は、３つの期間に分けることができます。

１　加盟～２００５年頃

ＷＴＯ加盟を受けて、大型外資の中国製造業に対する投資が活発になりました。
主品目の関税譲許の実施スケジュールが、加盟時から２００３年～２００５年にかけて作成されているのと対応しています。おおよそ四分の三の品目（約５３００品目）の関税が下がりました。具体的には工業品の平均が11・６％、農産物の平均が15・８％、水産物の平均が14・３％になりました。

中国は、加盟に際し、ＷＴＯ協定が中国全土の関税地域に適用されること、これらは中央と地方で差別されないこと、外国為替の公平で合理的な管理、貿易に影響を及ぼす行政行為に独立した司法審査が及ぶこと、透明性確保等を約束しました。

従来中国企業が貿易をするには、貿易権の許可が必要でしたが、その制限を取り除きました。加盟後、中国産品の輸出が急増し、ＷＴＯ加盟輸入国に対する脅威となる場合に備えて、それまで不備であった中国側のセーフガード、ダンピング、相殺関税の規定の整備を義務付けました。輸入国で中国産品の輸入が急激に増えた場合、輸入国はセーフガードを発令して、一時的に輸入を制限できます。中国産品が不当に安価な価格で輸入された場合には、ダンピング税を課することができます。中国政府が中国産品に補助金等与え、輸出を不当に増やした場合、輸入国は相殺関税を課することができます。

特許、意匠、商標、著作権及び技術輸出入等の知的財産権についても、中国はＴＲＩＰＳ（Agreement on Trade-Related Aspects of Intellectual Property Rights 知的所有権の貿易関連の側面に関する協定）を遵守することを約束しました。

２　２００６～２００７年頃

大型外資の中国製造業に対する投資・規制緩和がほぼ完了しました。

３　２００８年以降

外資優遇税制が撤廃されました。リーマンショックからもすばやく立ち直り、再び輸出牽引の経済になりました。しかしながら、人民元高、労働賃金の増加、労働契約法の実施など、新しい局面を迎えています。

中国のＷＴＯ加盟に際し、業種毎に規制緩和スケジュールが定められました。

- 保険サービス業の規制緩和（～２００４年完了）
- 建設サービス業の規制緩和（～２００４年完了）

●流通サービス業の規制緩和（～2006年完了）
●観光サービス業の規制緩和（～2007年完了）
●電気通信サービス業の規制緩和（～2007年外資出資率50％までとし完了）
●運輸サービス業の規制（～2011年の予定）

経過的レビューとして、WTO一般理事会等が中国の義務履行状況を毎年審査（加盟後10年間）し、協定遵守状況を点検するため、経過的検討制度が設けられました。経過的レビューは、中国のWTO加盟後、2年ごとに継続して実施され、直近では2008年に行われました。2010年にも行われ、経過的レビューの最終年度は、2012年になります。関税障壁、非関税障壁のみならず、投資、農業分野、知的財産権、サービス、通信、政府調達および法規制と透明化のほぼ全分野にわたってレビューされています。ただし中国政府はこの内容を現在公表しておりません。

ケーススタディ⑧　中国での加工貿易について

Q 海外投資はできるだけリスクを少なくしたいです。リスクを少なくする一つの方策は、自社工場を持たないことです。中国でそのような製造は可能でしょうか？

A 可能です。

特に華南地域に進出した日本企業は来料加工の形態で中国での生産活動をしています。中国に現地法人を設立しないで生産活動をする場合、採用できる生産形態に来料加工と進料加工があります。これらの形態について説明いたしましょう。

1　来料加工

外国企業が原材料・部品・包装材料などの必要な材料のすべてまたは一部、必要な場合には生産設備も提供して、中国加工業者が外国企業の指示に従って加工、組立を行い、製品を外国企業に引き渡し、加工賃を取得するという取引を来料加工と言います。この来料加工の特徴としては外国企業が無償で材料などを提供して中国企業が来料加工賃を取得することにあります。

２　進料加工

中国企業が、輸出製品を加工するために外貨を使って原材料・部品・包装材料などを輸入し、生産企業が製品または半製品を加工した後に、再度輸出するという取引です。

　上記の２つの加工貿易において、海外から調達した原料に対する輸入関税と増値税が免税になります。来料加工の場合、中国国内での販売はできませんが、進料加工では、保税材料に関する輸入関税と増値税を追加納税すれば、生産したものを中国国内で販売することも可能です。

　しかしながら、加工貿易と称して、免税輸入した原材料の横流し、加工後再輸出すべき製品の国内販売等の悪行が横行しました。そのため手続きが厳しくなっています。加工貿易手冊と呼ばれる、加工貿易管理手帳（現在は電子化しつつある）に加工の状況を記録しなければなりません。具体的な手順としては、まず免税するための担保保証金に関する保証金台帳を指定銀行に開設してもらい、加工製品を輸出する時に税関のチェックを受け、台帳を抹消します。これを核銷と言います。保証金台帳の適用において企業間に格差を設け、100％免税（空転）〜一旦50％保証金を納入して後で還付を受ける（実転）まで、5段階に分けられています。リーマンショック以降、この実転は適用の大部分が凍結されていますが、将来は復活する可能性が高いです。

次に、中国との貿易を語る上で重要な、**増値税**について説明します。中国の増値税については少し説明が必要です。加工貿易以外で、中国に輸入するものについては、17％の増値税が課税されます。再度輸出すると、輸入増値税は還付されます。但し全額還付される訳ではなく、対象品により還付率が異なります。ここが消費税・

付加価値税と大きく異なります。全額還付されないものは、製品コストになります。外資企業は、帳簿上で、免税分、控除分を計算し、還付分・納付分をバランスさせますので、全額納付することはないですが、いろいろな処理が絡み、複雑なものになっています。

中国では、一連のサービス業の規制緩和が終了した２００６年から、加工貿易に関する規制を強化しています。プラスティック・繊維・家具・靴加工等が対象です。加工貿易を禁止するリストは毎年のように拡大していますので、注意が必要です。

コーヒーブレーク

増値税（増値税）

中国の間接税で代表的なものは、増値税（**増値税**）です。これは、日本の消費税に該当する税と考えれば良いでしょう。増値税は、物品の販売と受託加工業者の受取る加工賃が対象になり、基本税率は17%です。しかし、生活必需品に対する増値税は、13%です。

また、中国には、消費税（**消費税**）があります。この税は、日本の消費税と似て非なるものです。中国の消費税（**消費税**）は、日本のタバコ税、酒税、ガソリン税等に該当する間接税です。

中国を旅行すると北京酒店、上海酒店、広州酒店等、酒店の看板が多く見られま

すが、酒店は中国語でのホテルの意味です。このように、同じ漢字を使用しても、中国と日本では意味が異なることが多いです。

コーヒーブレーク

中国の法体系

中国の国家の根本は依然として社会主義国であり、通商の市場開放はどんどん進むかたわら、法解釈や法運用、行政裁量の点でこの「社会主義」がときどき顔を出すということを忘れてはいけません。

法律は憲法を最上位規範として、中国の最高意思決定機関である全国人民代表大会と、常設機関である全国人民代表大会常務委員会で制定します。次に日本でいう政府（内閣）にあたるものとして、国務院という組織があります。ここで様々な条例という行政法規が作られます。

憲法、法律、条例という順番で、規範の順序が決まり、ここまでは分かりやすいのですが、ここから下位の規範については、法解釈や法運用、行政裁量の点で優先順位が変わる場合があり、いろいろ問題が生じています。

中国には、省・新疆ウイグルのような自治区と、北京のような直轄市があり、これらの代表が決める地方規範には、次の2つがあります。

①自治区・直轄市の人民代表大会と、常設機関である常務委員会が定める地方の法規

②自治区・直轄市の人民政府が定める地方政府規則

これら2つの地方規範と、国務院各部が定める部門規則の優劣の判断は難しいです。具体的事例に沿って、法解釈や法運用、行政裁量の点でいろいろ問題が生じて

きています。

中国の地方政府はその地方のみで規制できる地方法規を制定することがあるので、進出外資に混乱を生じることがままあります。

なお、中国の裁判は二審制を採っています。日本の最高裁判所にあたるのが、最高人民法院です。最高人民法院が出す司法解釈には、法的拘束力があると言われています。

３　関税におけるグローバル・スタンダード
～ＧＡＴＴからＷＴＯへ

（１）関税とＧＡＴＴ

関税制度は、国際貿易の歴史と共に発展し、移転価格制度の進展とは別の道を歩んできました。移転価格に関する国際協議はＯＥＣＤで行われるのに対し、関税に関する国際協議はＷＴＯで行われます。先に述べたように、国内でも、移転価格などの法人税は国税庁の管轄であるのに対し、関税は税関が管轄しているのです。

第一次世界大戦後、イギリスは金本位制度を離脱し、世界各国は、為替ダンピング、高関税への移行、輸入制限等に走り、これらが第二次世界大戦の大きな原因となりました。

１９４４年に連合国代表は、二度と世界が戦禍にまみれることのないように、戦後の世界経済の安定と復興について協議しました。この時、ＩＭＦ（International Monetary Fund 国際通貨基金）、ＷＢ（World Bank 世界銀行）とＧＡＴＴの創設が提唱されました。

ＩＭＦは国際為替の安定と自由な取引を促進するために、ＷＢは戦後の各国の経済復興と、長期的な金融を可能にするために作られました。わが国の新幹線、高速道路も、ＷＢの融資で建設されました。

ＧＡＴＴは、貿易が戦前のように、縮小することのないように、国際分業に基づいた世界経済の厚生の極大化を目指しているのです。世界各国が自国の得意な産業に特化し、各々が得意な産業物品を自由に貿易すれば、世界経済は最も発展するという国際経済の理論（比較優位の原則）に基づいています。

わが国は1955年9月に、ＧＡＴＴに正式加盟しました。加盟すると、関税譲許表（品目ごとにこれ以上関税をあげませんと約束する表）を作成し、ＧＡＴＴ加盟国と交渉する義務が生じます。ＧＡＴＴ加盟国の多国間交渉はラウンドといい、通常ひとつのラウンド交渉が決着するまで5―10年の時間がかかります。

その中で有名なものが、1964―1967年のケネディラウンドであり、1973―1979年の東京ラウンドです。ケネディラウンドは、当時のアメリカのケネディ大統領が、大規模な関税引き下げを呼びかけ実現しました。東京ラウンドでは、現在の関税評価方式である、関税評価協定が締結されました。

この関税評価協定は、日本の関税法に取り入れられています。

ＧＡＴＴはこの段階まで、関税障壁を除去し、国際貿易を進展させるために大いに活躍しました。日本企業も、安い原材料を調達し、国内市場の自由化・国際分業投資に向け、経営の改善を図ったのです。

(2) GATTからWTOへ。非関税障壁除去への取組み

１９８０年代に入ると、日本経済はさらに台頭します。アメリカ、ＥＣ（European Community 欧州共同体：現在のＥＵ）は、日本市場の開放は工業品の関税引き下げだけでは十分でなく、農水産物に対する政府保護の緩和、日本市場の閉鎖的な流通慣行等の除去を要求し出したのです。つまり非関税障壁の除去です。ＧＡＴＴは、関税以外の通商制限を原則として禁止しています。

わが国は、日米繊維交渉や鉄鋼・自動車の対米輸出規制のような二国間主義で対応し、欧米は、ＥＵやＮＡＦＴＡのようなブロック主義に向かったのです。

アメリカは通商法301条、スーパー301条、スペシャル301条等を定め、わが国の貿易慣行が不公正だとし、一方主義の制裁措置を発動するようになりました。

紛争はＧＡＴＴの定める手続きにより解決することが、ＧＡＴＴの精神でありましたが、パネルとよばれる裁定機関においては、全加盟国の賛成が必要であり実効性に乏しかったのです。

さらに世界の資本の自由化への流れは、従来の単純貿易から国際分業投資へ進み、サービス貿易の自由化、公正な知的財産権取引等が叫ばれるようになりました。今までのＧＡＴＴの枠組みでは、処理できない案件が増大し、加盟国は対応を迫られたのです。

１９８６—１９９４年のウルグアイラウンドでは、関税問題を中心とする従来の単純貿易の分野に、サービス、知的財産権、国際投資の分野も加えて交渉が重ねられ、新しい時代の国際分業に歩調を合わせるＷＴＯ協定が１９９５年に発効されました。

ＷＴＯでは、１９８０年代に頻発した一方主義の制裁発動を避けるため、実効性のある紛争処理機関が設けられ、全加盟国が反対しない限り、当該紛争に対するＷＴＯのコンセンサスがあったとみなされます（逆コンセンサス方式）。

(3) WTOとFTA／EPA

ＧＡＴＴは、ＷＴＯ体制と法的には別個の存在ですが、経過措置のあとＷＴＯの枠組みに取り込まれました。ＷＴＯ発足後、加盟国は新しい時代の国際分業に歩調を合わせる具体的な取決めを締結すべく、２００１年に新ドーハラウンドを立ち上げ、現在まだ交渉中です。

伝統的な関税除去の問題についても、農業国と非農業国との対立は続いています。１９９０年代のＩＴ技術の発達と浸透は、富める国と発展途上の国との格差を拡大し、加盟国間の対立を浮き彫りにしたのです。

サービス、知的財産権、国際投資の分野で、発展途上国がイニシアチブをとれず、ラウンド合意ができない状態になっています。

そこで、各国はＷＴＯの締結に向ける交渉難航を迂回すべく、２０００年前後から、二国間ＦＴＡ／ＥＰＡの締結に積極的に乗り出したのです。

4 ＦＴＡ／ＥＰＡが結ばれると、ビジネスはどう変わるのか

ＦＴＡ（Free Trade Agreement）は、自由貿易協定といい、二以上の国（又は地域）で物品の貿易等を自由化するために締結する協定のことです。

他方ＥＰＡ（Economic Partnership Agreement）は、経済連携協定といい、モノやサービスの障壁撤廃を行うＦＴＡに加え、ＧＡＴＴの枠組みでは規定されていなかった、ヒトの移動、投資、二国間協力を含めた経済連携のことです。ＥＰＡは幅広い分野をも含める協定であるため、**ＦＴＡをさらに一歩進めたものといえます。他の国はＦＴＡを積極的に締結していますが、日本は積極的にＥＰＡを締結してきました。**この方針は今後も変わらない方向にあります。

なお、本書では実際に締結している協定名を使用します。

ＥＰＡを締結することの経済的メリットとしては、自由貿易の促進拡大により、スケールメリットや、協定国間における投資拡大の効果も期待されます。また、地域間における競争促進によって、国内経済の活性化や、地域全体における効率的な産業の再配置が行われ、生産性向上のメリットも期待されます。

一方でデメリットとしては、ＥＰＡは、協定国間における生産や開発の自由競争や合理化を前提にしているため、日本の国内で競争力があまり強くない産業や生産品目が打撃を受けざるを得ません。

悪貨は良貨を駆逐するが如く、高品質だけれど値段が高い日本製品は市場から消えてゆく可能性があるのです。日本の消費者は、ある程度高くても品質が良い物を購入する傾向が強いですが、国内産業が疲弊すれば、消費者が求める品質の生産品が入手しがたくなるでしょう。

経済合理性だけで言えば、競争力のない日本の製品はＥＰＡの相手国によって駆逐されますが、日本の得意とする高付加価値の製品を相手国で有利に販売できるこ

[図表 6-3]

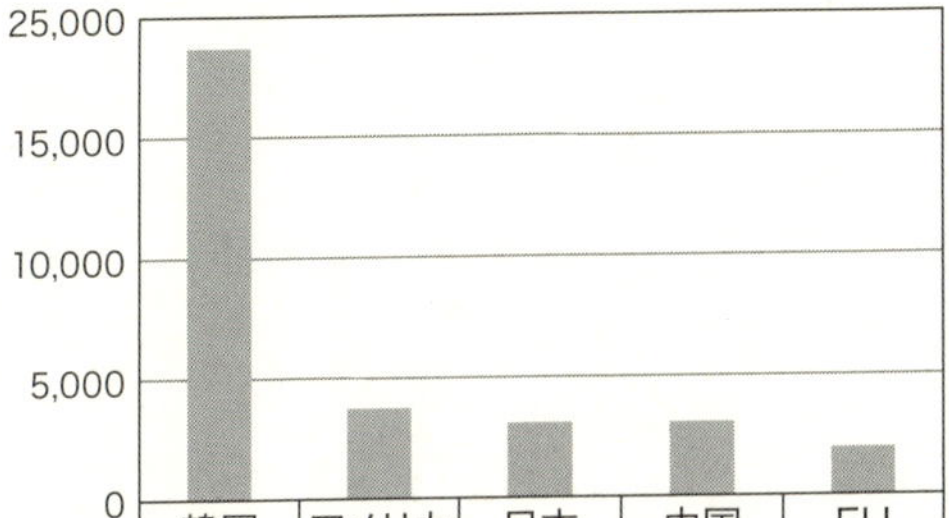

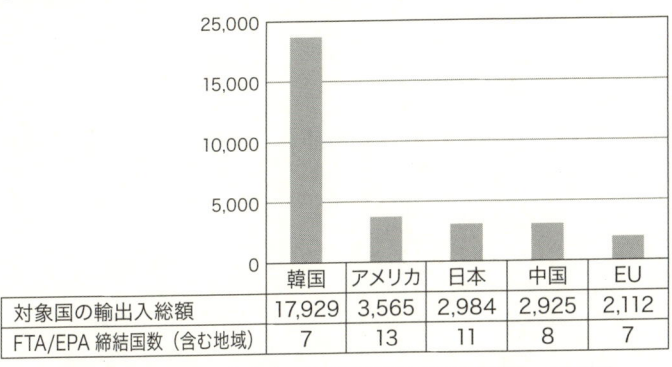

	韓国	アメリカ	日本	中国	EU
対象国の輸出入総額	17,929	3,565	2,984	2,925	2,112
FTA/EPA 締結国数（含む地域）	7	13	11	8	7

注）対象国の輸出入総額は「ジェトロ貿易投資白書 2009 年度版」より引用。
中東地域データはないため未計上

とになります。しかし、このような産業構造の変化は、弱者救済のためのセーフティネットの用意も必要となります。

強いリーダーシップが政治に求められるでしょう。

図表6―3は、日本、アメリカ、中国、EU、韓国が締結したFTA／EPAの数とその相手国との貿易量を示したものです。

日本を見るとEPAの数は、11と多いですが、相手国との貿易量は、それ程大きくありません。際立っているのは韓国です。相手国との貿易量はずば抜けて大きいのが分かります。その理由は、貿易上重要なパートナー国とFTA／EPAを締結しているのが韓国で、日本は、貿易上重要なパートナー国とのＥＰＡは未だ締結されていないからです。

わが国は、２００1年の日本・シンガポールＥＰＡを皮切りに、２０１０年1月現在の状況は、発効・署名済10カ国（シンガポール、メキシコ、マレーシア、チリ、タイ、インドネシア、ブルネイ、フィリピン、スイス、ベトナム）、1地域（ＡＳＥＡＮ）となっています。さらに交渉中なのは4カ国（韓国、インド、オーストラリア、ペルー）、1地域（Gulf Cooperation Council 湾岸協力会議）です。

韓国は大統領が先頭に立って積極的にＦＴＡ締結に向け動いており、２０１０年1月にはインドとの経済協定（ＣＥＰＡ）が発効しました。現在、共同研究中の中国とも、２０１０年後半には交渉開始予定ともみられています。

一方中国は、２００２年にＡＳＥＡＮとの全面的経済協力枠組協定に調印し、２００３年に発効しました。この協定は、ＡＳＥＡＮに対しリーダーシップを握っていると信じていた日本に大きな衝撃を与えました。

ＦＴＡを政治目的の手段と考える中国は、その後も積極的に交渉を重ねていき、２０１０年６月には台湾との経済協定である両岸経済協力枠組協議（ＥＣＦＡ）を締結しました。

今後は、日本、韓国、中国がどういう連携をとっていくかが非常に重要です。**日中韓自由貿易協定構想**を実現させ、日中韓の地域ＦＴＡ／ＥＰＡを作り、３大地域ＦＴＡ／ＥＰＡであるＡＳＥＡＮ自由貿易地域（ＡＦＴＡ）、北米自由貿易協定（ＮＡＦＴＡ）、欧州経済領域（ＥＥＡ＝ＥＵ＋ＥＦＴＡ）の一角に入ることができるか、あるいは、今後もバラバラで、日中韓は３大地域ＦＴＡ／ＥＰＡのハザマに漂うのか、これから重大な進路決定が迫られます。

ケーススタディ⑨　ＦＴＡ／ＥＰＡについて

Q 弊社は、Ａ国でａ部品とｂ部品を製造し、それを組立てＡ製品にし、Ｂ国へ輸出しています。Ｂ国はＡ製品に対して輸入関税10％を課しています。この関税10％を節約することは可能ですか？

[図表 6-4]

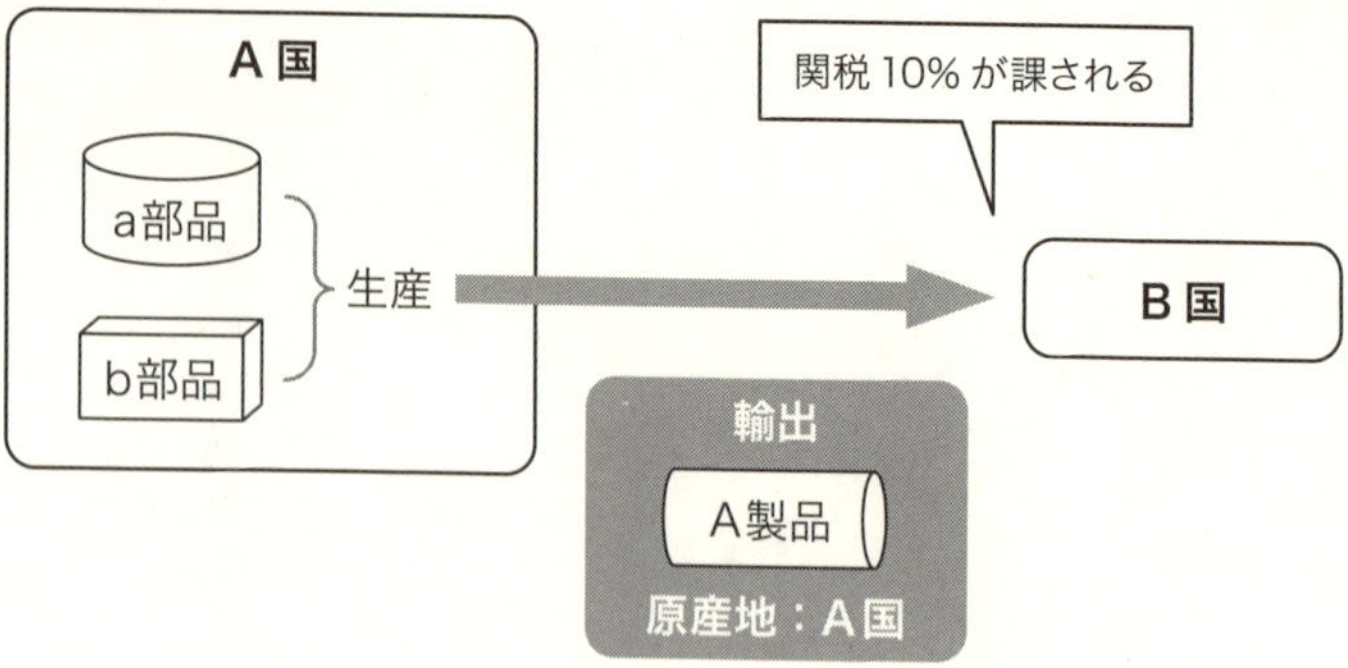

A　ＦＴＡ／ＥＰＡを上手く利用することで可能となります。　ＦＴＡとは、Free Trade Agreementの略称で自由貿易協定といいます。その内容は、二以上の国（又は地域）で物品の貿易等を自由化するために締結する協定のことです。　他方ＥＰＡ（Economic Partnership Agreement）は、経済連携協定といい、モノやサービスの障壁撤廃を行うＦＴＡに加え、ＧＡＴＴの枠組みでは規定されていなかった、ヒトの移動、投資、二国間協力を含めた経済連携をいいます。ＥＰＡは幅広い分野をも含める協定であるため、ＦＴＡをさらに一歩進めたものといえます。　ＦＴＡ／ＥＰＡ相手国と取引のある企業にとっては、無税で輸出入ができるようになる、消費者にとっ

[図表6-5]

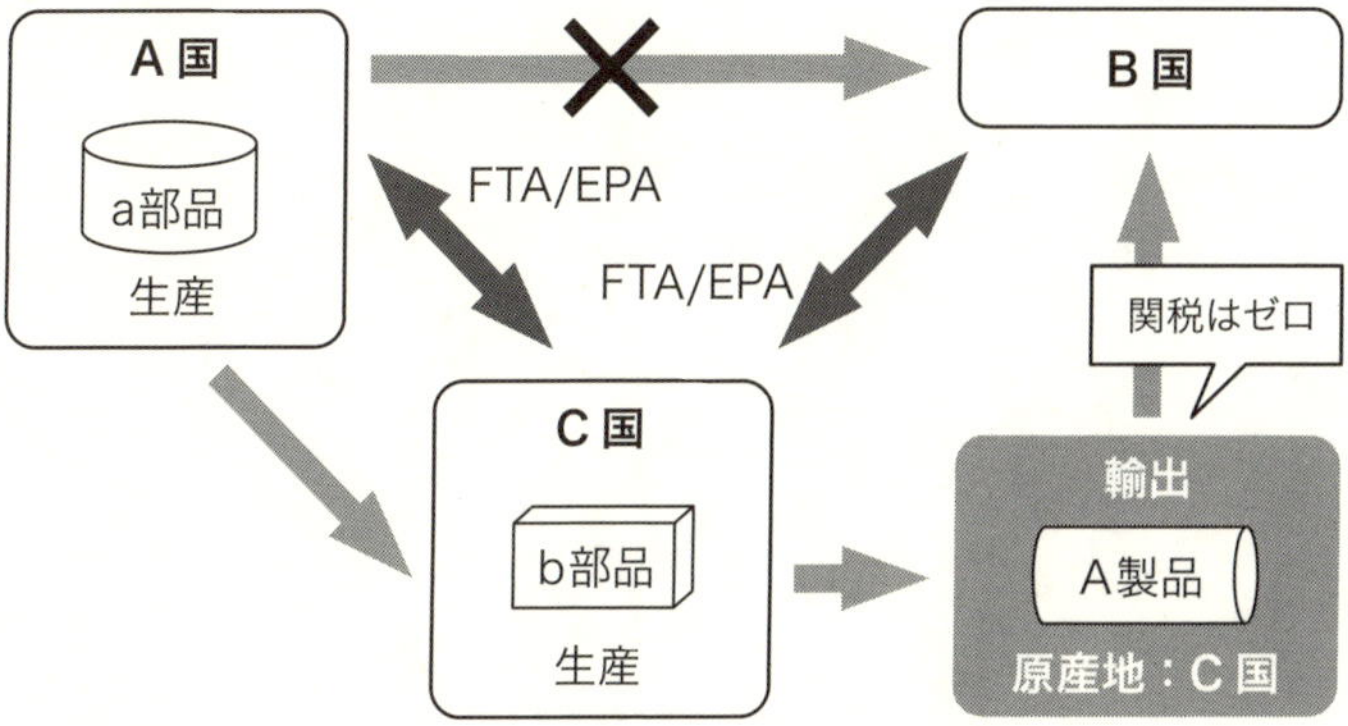

ても相手国産の製品や食品などが安く手に入るようになるなどのメリットが得られます。しかし、良いことばかりではありません。例えば、日本がオーストラリアとＦＴＡ／ＥＰＡを結ぶことは日本の事情では難しいのです。オーストラリアとＦＴＡ／ＥＰＡを結ぶことで農業・酪農に関する関税が撤廃されれば、日本産の農作物や乳製品がオーストラリア産に圧倒されてしまう恐れがあるからです。

　貴社のケースに戻ります。Ａ国がＦＴＡあるいはＥＰＡを締結し、Ｂ国もＦＴＡあるいはＥＰＡを締結して第三国となるＣ国があれば、関税ゼロが達成できる可能性が大です（図表6―5）。Ａ製品の原産をＣ国にすることにより、Ｂ国でのＡ

製品輸入時の関税はゼロとなります。b部品をC国で生産、そして組立しA製品を製造します。そしてC国―B国FTA／EPAの原産ルールを満たせば、関税ゼロは達成できます。

上記の例でいえば、B国―C国 FTA／EPAを仔細に検討すればよいのです。留意すべき点は、FTA／EPAは、移転価格課税について何ら言及していないことです。あるべき移転価格は別途検討して下さい。

ケーススタディ⑩ インコタームズ（Incoterms）

Q 貿易をするにあたってインコタームズに従って貿易条件を定める必要があるとききました。インコタームズって何ですか？ その概要を教えて下さい。

A インコタームズ（Incoterms）は、International Commercial Termsの前の二

つの単語のはじめの二字、すなわち〝In〟と〝Co〟とをTermsに冠して略称としたもので、正式の名称は、「取引条件の解釈に関する国際規則（International Rules for the Interpretation of Trade Terms）」といいます。インコタームズは、1936年にパリにある国際商工会議所によって定められた貿易条件の取決めで、定期的にインコタームズの内容は、改訂されています。直近の2000年版のインコタームズ（Incoterms 2000）は、以下の4類型13の貿易条件を定義しています。

【Eグループ】出荷

1　EXW（Ex Works …… named place）：工場渡条件。

【Fグループ】主要輸送費抜き

2　FCA（Free Carrier …… named place）：運送人渡条件。

3　FAS（Free Alongside Ship …… named port of shipment）：船側渡条件。

4　FOB（Free On Board …… named port of shipment）：本船渡条件。

【Cグループ】主要輸送費込

5　CFR（Cost and Freight …… named port of destination）：運賃込条件。

6　CIF（Cost, Insurance and Freight …… named port of destination）：運賃保険料込条件。

7　CPT（Carriage Paid To …… named place of destination）：運送費込条件。

8　CIP（Carriage and Insurance Paid To …… named place of destination）：輸送費保険料込条件。

【Dグループ】到着

9　DAF（Delivered At Frontier …… named place）：国境持込渡条件。

10　DES（Delivered Ex Ship …… named port of destination）：本船持込渡条件。

11　DEQ（Delivered Ex Quay …… named port of destination）：埠頭持込

［図表6-6］

売主の義務	買主の義務
A1 契約に合致した物品の提供	B1 代金の支払い
A2 許可、認可および手続き	B2 許可、認可および手続き
A3 運送および保険契約	B3 運送および保険契約
A4 引渡し	B4 引渡しの受取り
A5 危険の移転	B5 危険の移転
A6 費用の分担	B6 費用の分担
A7 買主への通知	B7 売主への通知
A8 引渡しの証拠、運送書類 または同等の電子メッセージ	B8 引渡しの証拠、運送書類 または同等の電子メッセージ
A9 検査—包装—荷印	B9 物品の検査
A10 その他の義務	B10 その他の義務

渡条件。

12　DDU（Delivered Duty Unpaid　……named place of destination）：関税抜き持込渡条件。

13　DDP（Delivered Duty Paid　……named place of destination）：関税込持込渡条件。

上記13の貿易条件は、さらに集約される予定です。

インボイス上に、この貿易条件を記し、売手（輸出者）と買手（輸入者）の間で、危険負担をどの時点で売手（輸出者）から買手（輸入者）に移転するか、あるいは保険と運賃はどちらが負担する

[図表 6-7]

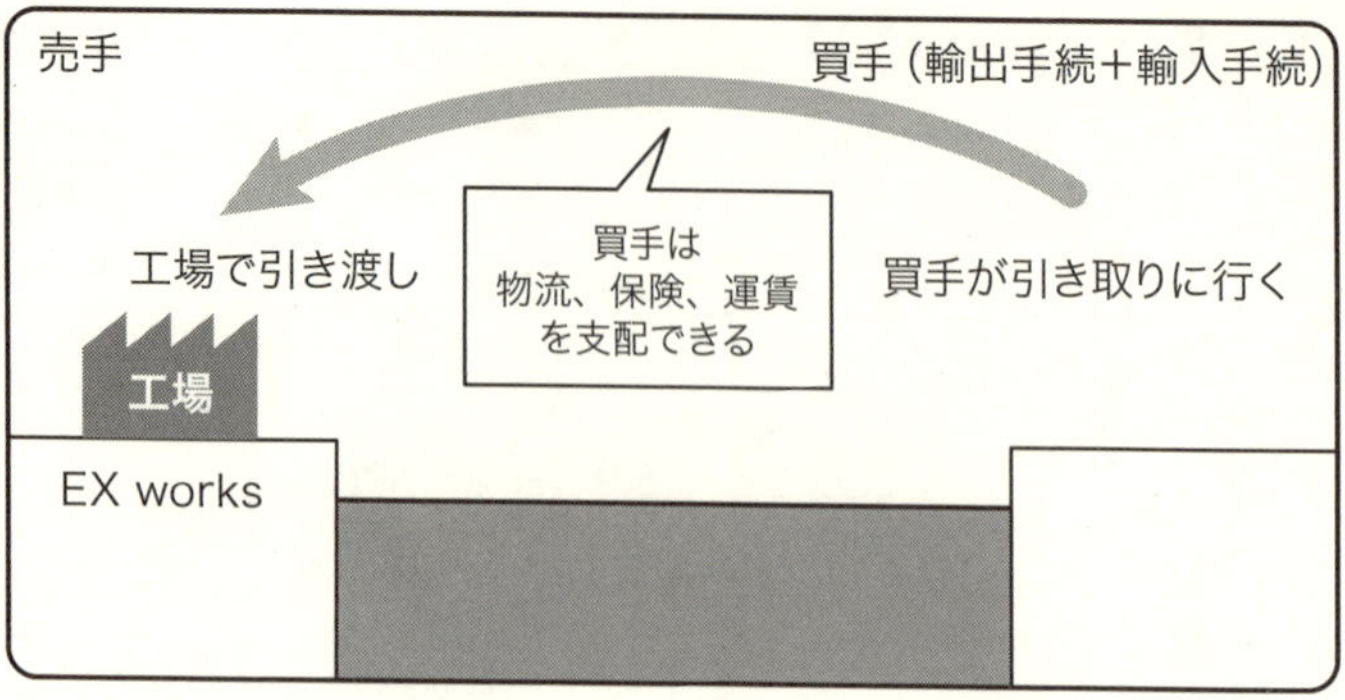

か、関税はどちらが支払うか、輸出手続・輸入手続はどちらが行うかを明らかにしています。インコタームズ２０００では、当事者の義務を売主と買主それぞれ10項目に整理しています。

なお、インコタームズは、物品の引渡しに係る取り決めであり、所有権の移転には触れていません。契約当事者の合意により、取り決められる必要があります。また、インコタームズでは、輸入消費税・付加価値税を売手（輸出者）が負担するのか買手（輸入者）が負担するのかについては定めていません。当時この税制はなかったからです。インコタームズに規定されていない取引条件については、仲裁条項も含め、極力、個別の売買契約書に定めることをお勧めします。

[図表6-8]

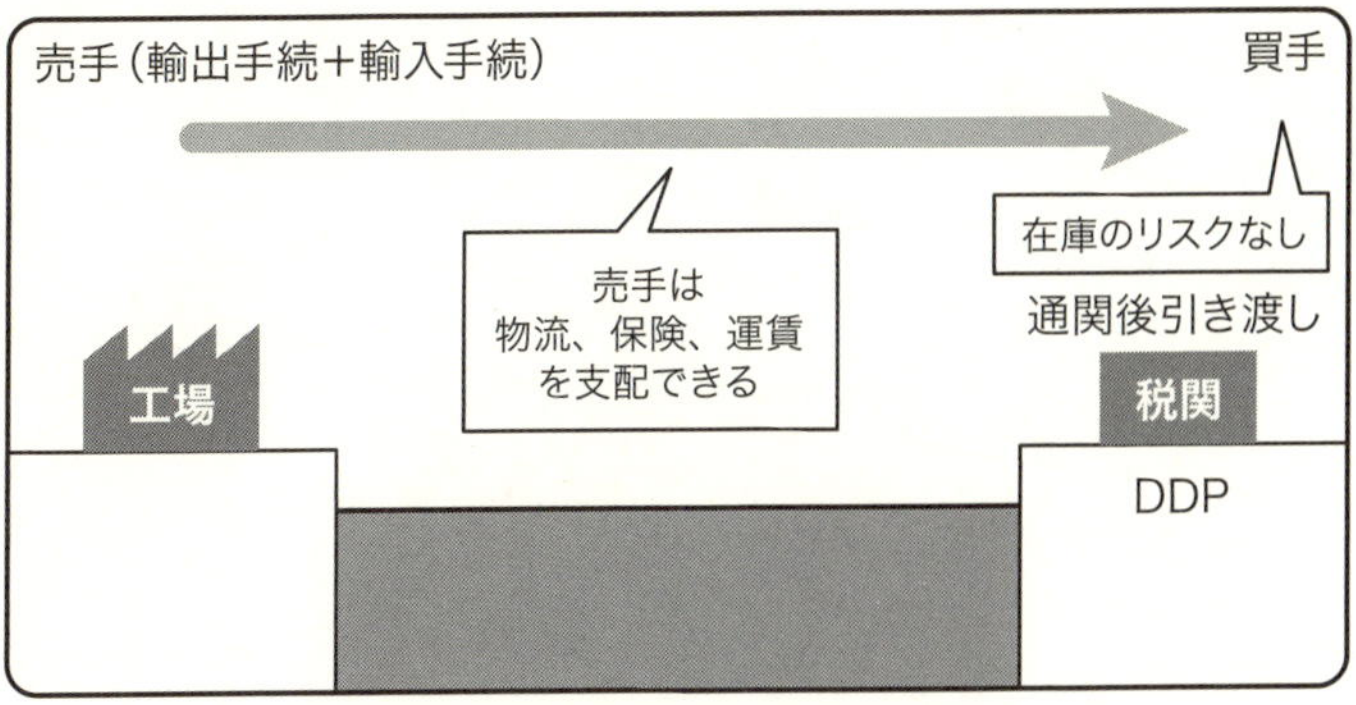

13のインコタームズのうち、売手（輸出者）にとってはＥＸＷ（工場渡条件）が一番有利です。買手（輸入者）が、自社工場の前まで貨物を引き取りにきてくれて、それで終わりだからです（図表６－７）。その後、買手（輸入者）は輸出手続をし、運び、同時に輸入手続もします。買手（輸入者）は、売手の工場前から後の物流、保険、運賃を支配でき、スケール・メリットをとれます。物流戦略を構築でき、利を得ることができるのです。

一方買手にとってはＤＤＰ（Delivered Duty Paid 関税込持込渡条件）が一番有利です。ＤＤＰは、売手（輸出者）が輸出手続をし、運び、輸入手続をします。通関を切り、関税を支払って引き渡した時点で、売手（輸出者）から買手に危険負担が移転します。売手（輸出者）は、買手の引取倉庫までの物流、保険、運賃を支配でき、スケール・メリットをとれます。物流戦略を構築でき、利を得ることができるのです。買手から見ても、自動車会社のようにＤＤＰでの輸入は、欲しいときに欲しい分だけ部品を入手でき、在庫を持たないジャスト・イン・タイム方式にも合致して伸びてきました（図表6－8）。

インコタームズ2000では、13の貿易条件が認められていますが、上記の状況より、貿易条件はＥＸＷとＤＤＰに収れんする傾向が見られます。

コーヒーブレーク

韓国のＦＴＡ政策

１９９７年のアジア通貨危機に見舞われた韓国は、同国を北東アジアのハブと位置づけ経済回復を図ってきました。２００３年に誕生した盧武鉉政権は、金大中政権の経済政策を引継ぐと共に、さらに「ＦＴＡロードマップ」を策定し、ＦＴＡを戦略的に展開しました。

ＦＴＡを①経済規模の小さい国々、②中国を除く日本、アセアンの東アジア、③米国、ＥＵ、中国等の大国の３地域に分け交渉を展開し、通商経済の拡大を図るものです。韓国も自動車・牛肉の国内市場の開放という難問を抱えながらの交渉でしたが、米国とＥＵとはＦＴＡ調印にこぎつけ、日本を大分リードしてしまいました。

ＥＰＡとひろくとらえず、貿易面からの障害除去を優先するＦＴＡ政策をとったことが、現在のところ功を奏しているといえます。当初北東アジアハブ構想の完成を目指し、日韓ＥＰＡ交渉に力を入れていましたが難航し、途中から米国、ＥＵとの交渉に優先権を与え直した経緯があります。

2003―4年くらいまで、韓国税関の官吏も日本の関税法を手本に学んでいましたが、2005年くらいをさかいに、韓国の関税法は独自の発展をしてきています。

ＦＴＡ制度と関税法が一体となり総合的に運用されています。

また原料を韓国内に持ち込み、保税区内加工し、国外に持ち出す保税制度が、極めて実利的に運用されています。日本の通関士にあたる韓国関税士は、資格取得後、簡単に独立開業でき、通関面だけでなく、ＦＴＡの運用面でのサポートをしています。

韓国関税士は、弁護士並の高収入を得ており、人気職業になっています。

いえいっ!
夜露死苦
パラリラ〜〜

とろとろ…
ちり〜ん
柴田専用車
お先に!!
石川

関税の条文の読み方

関税を定めた条文の中で重要な条文は、関税定率法４条（課税価格の決定の原則）、４条の２（同種又は類似の貨物に係る取引価格による課税価格の決定）、４条の３（国内販売価格又は製造原価に基づく課税価格の決定）、４条の４（特殊な輸入貨物に係る課税価格の決定）です。この条文を理解することが関税全体を理解する近道であると考えています。

第1項は、輸入貨物に課される関税の課税標準となる価格（課税価格）、そして課税価格に含まれる手数料又は費用（加算要素）を規定している。

課税価格は「現実支払価格」を基に決める。ただし加算項目が含まれていないならば、含めなければならない。「現実支払価格」に加算項目を加えた価格を「取引価格」と呼んでいる。

現実支払価格（Cost）に保険（Insurance）、運賃（Freight）を加えた価格をCIF価格といい、この価格が原則として課税価格となる。このように取引価格を計算する方法を「課税価格の原則的決定方法」と呼んでいる。二号から五号は、CIF価格に加算調整が必要となる経費項目を規定している。特に三号の取扱いには注意を要する。日本の親会社が海外子会社に無償で金型を提供した場合、この金型の減価償却相当分は、加算調整の対象となる。

輸入貨物の購入に関して、本邦以外の外国において買手に代わり業務を行うものに支払われる手数料のこと。

（課税価格の決定の原則）

第4条 輸入貨物の課税標準となる価格（以下「課税価格」という。）は、次項本文の規定の適用がある場合を除き、当該輸入貨物に係る輸入取引がされた時に買手により売手に対し又は売手のために、**当該輸入貨物につき現実に支払われた又は支払われるべき価格**（輸出国において輸出の際に軽減又は払戻しを受けるべき関税その他の課徴金を除くものとする。）に、その含まれていない限度において次に掲げる運賃等の額を加えた価格（以下**「取引価格」**という。）とする。

一　当該輸入貨物が輸入港に到着するまでの運送に要する運賃、保険料その他当該運送に関連する費用（次条及び第四条の三第二項において「輸入港までの運賃等」という。）

二　当該輸入貨物に係る輸入取引に関し買手により負担される手数料又は費用のうち次に掲げるもの

イ　仲介料その他の手数料（**買付手数料**を除く。）

ロ　当該輸入貨物の容器（当該輸入貨物の通常の容器と同一の種類及び価値を有するものに限る。）の費用

ハ　当該輸入貨物の包装に要する費用

三　当該輸入貨物の生産及び輸入取引に関連して、買手により無償で又は値引きをして直接又は間接に提供された物品又は役務のうち次に掲げるものに要する費用

知的財産権を使用するための対価は加算項目であることを規定している。

第2項は、関税の鳥瞰図的理解を深める観点からは、重要性がないので省略した。

課税価格の決定方法の中でも、原則的決定方法が使えない場合がある。これを「特別な事情がある場合」と定め、例外的決定方法を用いて課税価格を決定する。第1項は、輸入貨物の課税価格を計算することができない場合において、当該輸入貨物と同種又は類似の貨物があるときは、当該輸入貨物の課税価格は、当該同種又は類似の貨物に係る取引価格とすることを規定している。これが例外的決定方法のひとつである。
「特別な事情」の例示をする。
●展示用としてのみ使用条件として、価格を引き下げて輸入した場合
●当該貨物の他に特定の貨物を購入することを条件とし価格を決定する、抱き合わせ販売のような場合
「売手と買手との間に特殊関係」の例示を示す。
●売手及び買手の事業が、法令上認められた共同経営者である、又は買手と売手とが親族である、又はいずれか一方の者が他方の事業に係る議決権を伴う社外株式の総数の5%以上の社外株式を直接又は間接に所有している等の場合

近接する日とは、おおむね輸出の日の前後一カ月以内の日としている。

イ　当該輸入貨物に組み込まれている材料、部分品又はこれらに類するもの

ロ　当該輸入貨物の生産のために使用された工具、鋳型又はこれらに類するもの

ハ　当該輸入貨物の生産の過程で消費された物品

ニ　技術、設計その他当該輸入貨物の生産に関する役務で政令で定めるもの

四　**当該輸入貨物に係る特許権、意匠権、商標権その他これらに類するもの**（当該輸入貨物を本邦において複製する権利を除く。）で政令で定めるものの使用に伴う対価で、当該輸入貨物の輸入取引の条件として、買手により直接又は間接に支払われるもの

五　買手による当該輸入貨物の処分又は使用による収益で直接又は間接に売手に帰属するものとされているもの

（同種又は類似の貨物に係る取引価格による課税価格の決定）

第4条の2　前条第一項の規定により輸入貨物の課税価格を計算することができない場合又は同条第二項本文の規定の適用がある場合において、当該輸入貨物と同種又は類似の貨物（当該輸入貨物の本邦への輸出の日又は**これに近接する日**に本邦へ輸出されたもので、当該輸入貨物の生産国で生産されたものに限る。以下こ

第２項は、同種又は類似貨物の取引価格から運賃等の差異より生じた価格差や必要調整を行った後の取引価格を用いることを定めている。

の条において「同種又は類似の貨物」という。）に係る取引価格（前条第一項の規定により課税価格とされたものに限る。以下この条において同じ。）があるときは、当該輸入貨物の課税価格は、当該同種又は類似の貨物に係る取引価格（これらの取引価格の双方があるときは、同種の貨物に係る取引価格）とする。この場合において、同種又は類似の貨物に係る取引価格は、当該輸入貨物の取引段階と同一の取引段階及び当該輸入貨物の取引数量と実質的に同一の取引数量により輸入取引がされた同種又は類似の貨物（以下この条において「同一の取引段階及び同一の取引数量による同種又は類似の貨物」という。）に係る取引価格とし、当該輸入貨物と当該同一の取引段階及び同一の取引数量による同種又は類似の貨物との間に運送距離又は運送形態が異なることにより輸入港までの運賃等に相当の差異があるときは、その差異により生じた価格差につき、政令で定めるところにより、必要な調整を行った後の取引価格とする。

2 前項に規定する同一の取引段階及び同一の取引数量による同種又は類似の貨物に係る取引価格がない場合には、同項に規定する同種又は類似の貨物に係る取引価格は、取引段階又は取引数量の差異及び輸入港までの運賃等の差異による当該輸入貨物と当該同種又は類似の貨物との間の価格差につき、政令で定めるところに

課税価格の決定方法の中でも、原則的決定方法が使えない場合がある。これを「特別な事情がある場合」と定め、例外的決定方法を用いて課税価格を決定する。第1項は、国内販売価格に基づく課税価格の決定方法（逆算方法）について規定している。「ワンポイントアドバイス　関税での評価方法」（P.364）を参照

第１項一号では、当該輸入貨物の課税物件確定時または近接する期間内に、国内において売手と特殊関係のない買手に対し国内販売された価格から、下記の額を控除して得られる額とすると規定している。

イ：販売手数料・利潤等

ロ：国内運賃・保険料等

ハ：本邦での課徴金等の手数料等

より、必要な調整を行った後の同種又は類似の貨物に係る取引価格とする。

（国内販売価格又は製造原価に基づく課税価格の決定）

第4条の3 前二条の規定により輸入貨物の課税価格を計算することができない場合において、当該輸入貨物の国内販売価格（関税法第七十三条第一項（輸入の許可前における貨物の引取り）の規定により税関長の承認を受けて引き取られた当該輸入貨物の国内販売価格を含む。以下この項において同じ。）又は当該輸入貨物と同種若しくは類似の貨物（当該輸入貨物の生産国で生産されたものに限る。以下この項において同じ。）に係る国内販売価格があるときは、当該輸入貨物の課税価格は、次の各号に掲げる国内販売価格の区分に応じ、当該各号に定める価格とする。ただし、第二号の規定の適用については、第一号の規定を適用することができない場合で、かつ、当該輸入貨物を輸入しようとする者が第二号の規定の適用を要請する場合に限るものとする。

一 その輸入申告の時（関税法第四条第一項各号（課税物件の確定の時期の特例）に掲げる貨物にあっては、当該各号に定める時。以下この号及び次号において「課当該貨物が輸入された同一の国以外の国から輸入された貨物も含む。

第1項二号では、当該輸入貨物の課税物件確定時後、加工された貨物については、国内において売手と特殊関係のない買手に対し国内販売された価格から、第一号のイ：販売手数料・利潤等、ロ：国内運賃・保険料等、ハ：本邦での課徴金等の手数料等の額を控除して得られる額とすると規定している。

税物件確定の時」という。）における性質及び形状により、当該輸入貨物の課税物件確定の時の属する日又はこれに近接する期間内に国内における売手と特殊関係のない買手に対し国内において販売された当該輸入貨物又はこれと同種若しくは類似の貨物に係る国内販売価格　当該国内販売価格から次に掲げる手数料等の額を控除して得られる価格

イ　**当該輸入貨物と同類の貨物**（同一の産業部門において生産された当該輸入貨物と同一の範疇に属する貨物をいう。次項において同じ。）で輸入されたものの国内における販売に係る通常の手数料又は利潤及び一般経費（ロに掲げる費用を除く。）

ロ　当該国内において販売された輸入貨物又はこれと同種若しくは類似の貨物に係る輸入港到着後国内において販売するまでの運送に要する通常の運賃、保険料その他当該運送に関連する費用

ハ　当該国内において販売された輸入貨物又はこれと同種若しくは類似の貨物に係る本邦において課された関税その他の課徴金

二　課税物件確定の時の属する日後加工の上、国内における売手と特殊関係のない買手に対し国内において販売された当該輸入貨物の国内販売価格　当該国内販売価格から当該加工により付加された価額及び前号イからハまでに掲げる手数料等の額を控除して得られる価格

第2項は、国内において売手と特殊関係のない買手に対し国内販売された価格が確認できない場合、製造原価に基づく課税価格の決定方法（積算方法）について規定している。

政令である関定令第1条の11は特殊な輸入貨物に係る課税価格の決定につき規定している。

一　関定第４条第１項（課税価格の決定の原則）により計算された課税価格又は関定第4条の3第1項1号（国内販売価格に基づく課税価格の決定：逆算方法）を適用できる場合で、品質、性能、輸出の時期その他の事情の差異により生じた当該輸入貨物との価格差を明らかにすることができると認められる輸入貨物がある場合につき定めている。その場合は事情の差異により生じた当該輸入貨物との価格差につき必要な調整を行った後の価格を課税価格とする。

二　前号に該当する場合以外の場合、WTO関税評価協定（WTO協定附属書1Aの1994年の関税及び貿易に関する一般協定第7条及び1994年の関税及び貿易に関する一般協定第7条の実施に関する協定)の規定に適合する方法として税関長が定める方法により計算される価格を課税価格とする。現実の税関とのトラブルの中では、WTO関税評価協定の規定に適合する方法であるとして、主観的な税関長が定める方法が使用されている。

2 前項の規定により当該輸入貨物の課税価格を計算することができない場合において、当該輸入貨物の製造原価を確認することができるときは、当該輸入貨物の課税価格は、当該輸入貨物の製造原価に当該輸入貨物の生産国で生産された当該輸入貨物と同類の貨物の本邦への輸出のための販売に係る通常の利潤及び一般経費並びに当該輸入貨物の輸入港までの運賃等の額を加えた価格とする。

（特殊な輸入貨物に係る課税価格の決定）

第4条の4 前三条の規定により課税価格を計算することができない輸入貨物の課税価格は、これらの規定により計算される課税価格に準ずるものとして**政令**で定めるところにより計算される価格とする。

カニノテキハ
アソコヨ!
KANI
KANI
KANI
KANI
KANI
KANI
柴田

カンヅメニ
シテヤル
ヤッチャエ
SIBATA
ワイワイ
ウナサレテルネ
う〜ん
KANI

Chapter 7

第7章　戦略的関税対策

戦略的関税対策

ケーススタディ①　アパレル製品の輸入

Q

弊社は日本でアパレル製品の販売を行っております。フランスに50%出資する製造子会社を有しています。アメリカの商標権者とライセンス契約を締結し、その商標で、アパレル製品を販売しています。またフランスの有名なデザイナーの服もライセンス料を支払って製造しています。また、期中に採用した移転価格をあるべき移転価格への一括修正（これを補償調整とよぶ）を期末にしました。移転価格の調整方法をあるべき通関価格算定においても採用したいです。留意すべき点を教えてください。

A 親子間で、一方が売手（輸出）、他方が買手（輸入）となる取引形態は、関税法上の特殊関係者間取引になり、貴社とフランスの製造子会社からの輸入価格があるべき通関価格であるか否かが税関当局の観点からは常に問題となります。そこでご質問の価格設定方法があるべき通関価格になるかについて検討します。

次の点を順番に検討します。

1　あるべき通関価格の算定方法
2　戦略的関税価格設定の手順
3　関税評価と対価性
4　あるべき通関価格算定方法の選択

[図表 7-1]

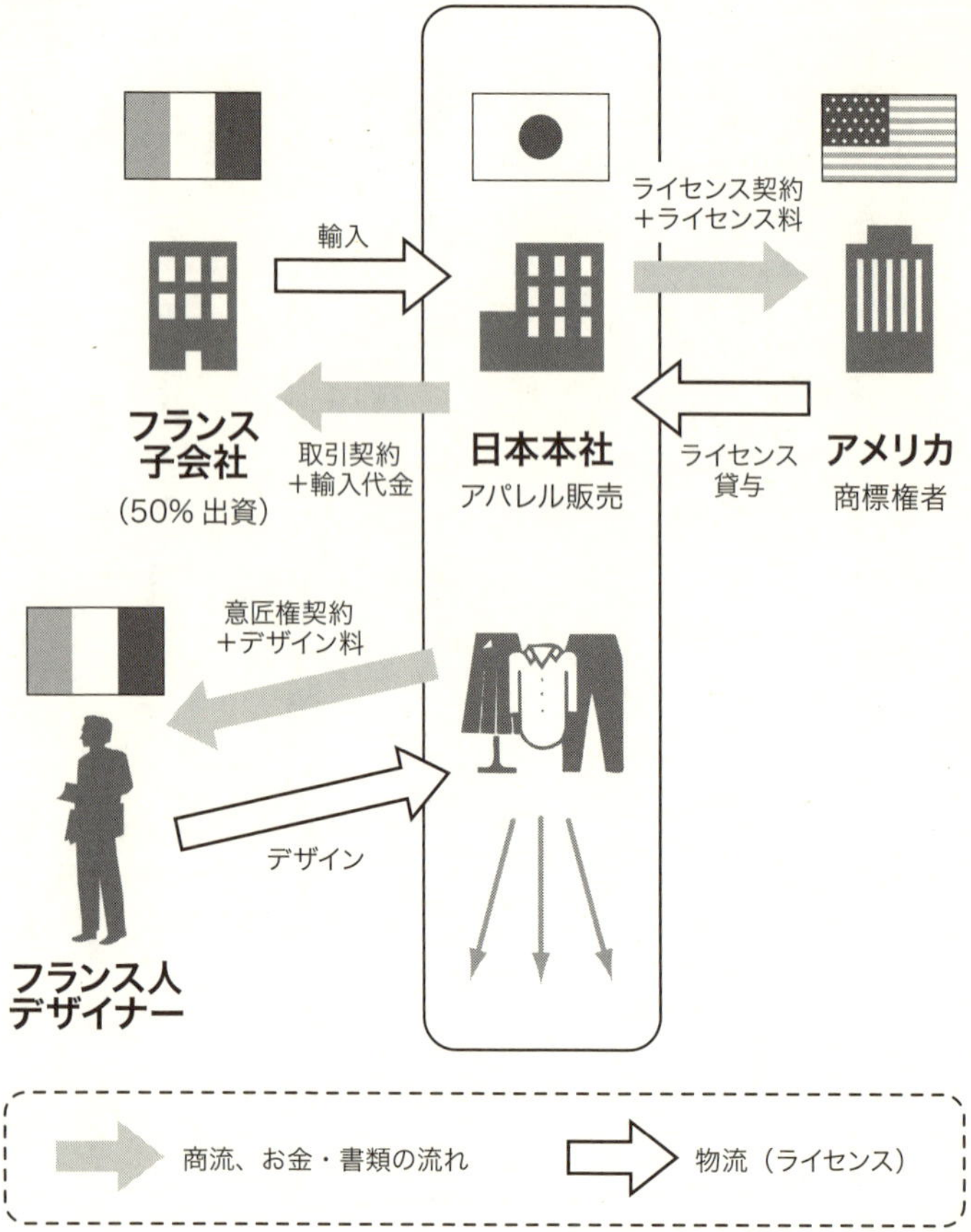

フランス子会社 (50% 出資) ←—取引契約＋輸入代金— 日本本社 アパレル販売
日本本社 —輸入→ (日本本社より)
日本本社 —ライセンス契約＋ライセンス料→ アメリカ 商標権者
アメリカ ←ライセンス貸与— 日本本社

意匠権契約＋デザイン料 → フランス人デザイナー
フランス人デザイナー —デザイン→ (アパレル)

→ 商流、お金・書類の流れ　　⇒ 物流（ライセンス）

1　あるべき通関価格の算定方法

あるべき通関価格は次の算式によって決まります。

あるべき通関価格＝あるべき関税率×あるべきＣＩＦ価格

あるべき関税率⇕関税番号＋原産地

あるべきＣＩＦ価格⇕関税評価

この式を見ると、あるべき通関価格は、1関税番号　2原産地　3関税評価の3要素によって決まります。この3要素を分析し、有利な方策を講ずればよいのです。順次説明します。

1　関税番号

輸入品は大きく97類に分かれる税分類により、税番号が付され、その中で品目別に税率が定められています。1類は動物（生きているものに限る）および動物性生産品、97類はもっとも加工度の高い美術品・骨董品などです。農林水産物は1―24

類まで、25―49類は化学品・皮革毛皮製品・木材関係等です。織物等衣服類は50―67類に、68―83類は、金属・非金属等です。84―97類は工業製品等です。日本では84―97類に対して関税がゼロのものが多いです。貴社のようなアパレル製品は、60―65類に分類されます。実際に輸入する際は、類番の他に、項・号・細分番号がつき、9―10桁の税番号となります。輸入品をうまく分けることにより、今より低い税率が適用され製品として輸入することが可能です。もちろん製品の組成・化学成分・製法等の解釈の問題になることもありますからその分野に詳しい専門家と相談しながらすすめることをお勧めします。

2　原産地

税率には、基本税率、暫定税率、協定税率、特恵税率があり、税率が異なります。適用される関税率に重要な影響を与えるものが原産地です。フランス製造原産のものは、協定税率が適用されます。ＷＴＯ加盟国からの輸入品は原則として、協定税率が適用されます。蛇足ですが、製造拠点を移し原産地を特恵受益国・ＥＰＡ締結国に変えることにより、低いあるいはゼロの特恵税率を適用することが可能になります。

3　関税評価

評価のベースとなるＣＩＦ価格を分析します。貴社が考えている補償調整の金額を直接的にＣＩＦである通関価格に反映させる方法は、関税法上では認められていません。

税関サイドから、関税法と移転価格税制とは似て非なる税制であることが指摘されています。また、輸入品は、個別ロット毎に通関ポイントで評価通関されます。会計年度で区切って益金から損金を差引くことで所得を算出する法人所得税とは、評価する地点もタイミングも異なり、両者間の調整が難しいことがその理由として挙げられています。

関税法上は、関税法独自の考え方から、あるべき通関価格の算定方法が定められており、これに従うことになります。移転価格の算定方法をそのまま援用しても認められません。関税での評価方法は、本章のワンポイントアドバイスで述べているので参照してください。

2 戦略的関税価格設定の手順

戦略的関税価格設定の手順は、下記のとおりです。

1 関税番号

「実行関税率表」で関税番号を調べてみます。アパレル製品は、60―65類にあたります。

例 衣類及び衣類附属品は「61類」です。

2　原産地

製品が作られた場所を特定します。

ＷＴＯ加盟国からの輸入品であれば、「協定税率」が適用されます。

例えばフランス↓ベトナムへ製造拠点を移し原産地を特恵受益国・ＥＰＡ締結国に変えると「低いあるいはゼロの特恵税率」を適用することができるのです。

例「61類」の製品はフランス原産であれば5・0～10・9％の関税、日本とＥＰＡを締結しているベトナム原産であればゼロの関税で輸入できます。

3　関税評価

関税評価の決定方法適用順位は図表7―2のようになっています。

[図表 7-2]

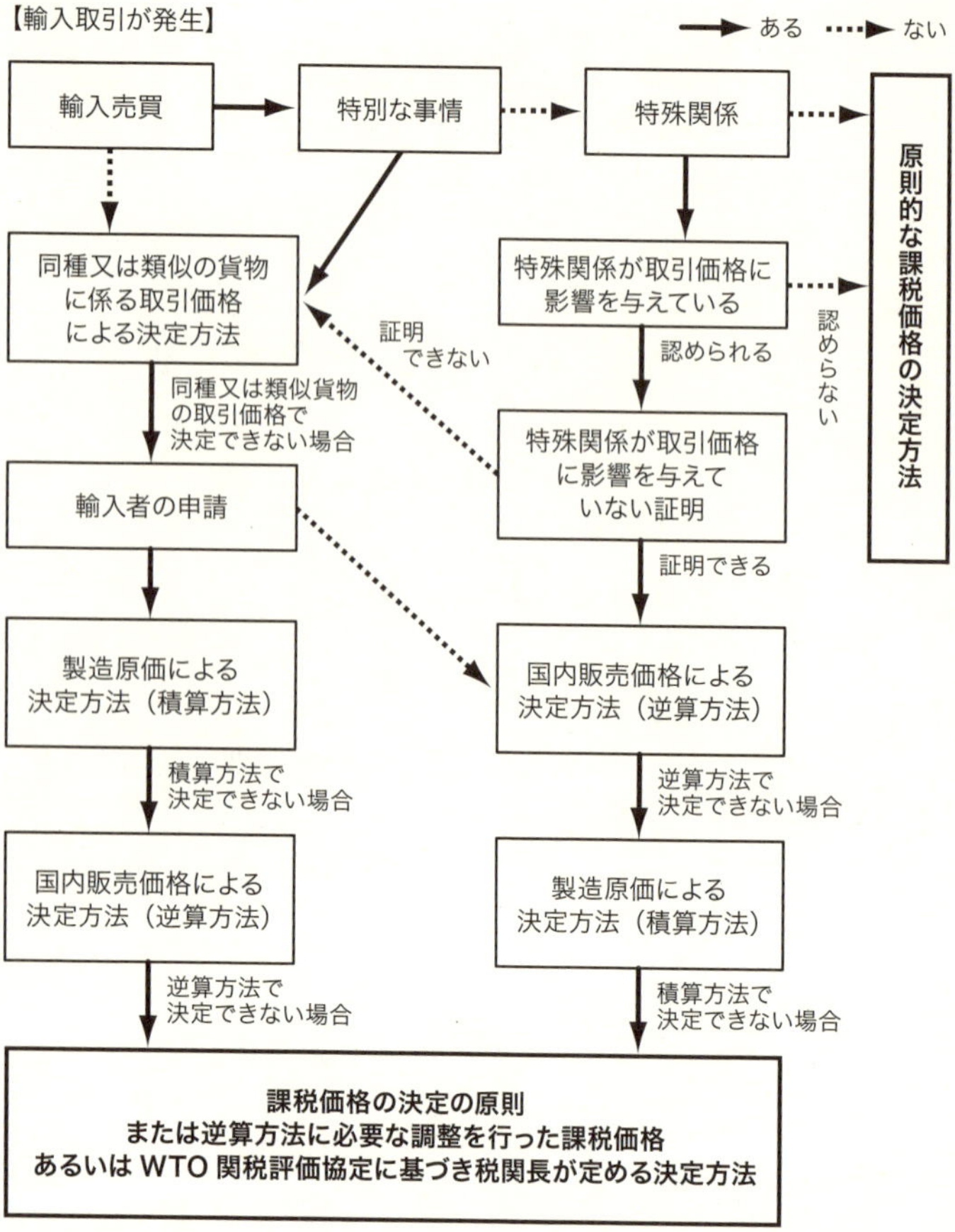
【輸入取引が発生】
ある
ない
輸入売買
特別な事情
特殊関係
原則的な課税価格の決定方法
同種又は類似の貨物に係る取引価格による決定方法
特殊関係が取引価格に影響を与えている
認められる
認められない
証明できない
同種又は類似貨物の取引価格で決定できない場合
特殊関係が取引価格に影響を与えていない証明
輸入者の申請
証明できる
製造原価による決定方法（積算方法）
国内販売価格による決定方法（逆算方法）
積算方法で決定できない場合
逆算方法で決定できない場合
国内販売価格による決定方法（逆算方法）
製造原価による決定方法（積算方法）
逆算方法で決定できない場合
積算方法で決定できない場合
課税価格の決定の原則
または逆算方法に必要な調整を行った課税価格
あるいは WTO 関税評価協定に基づき税関長が定める決定方法

3 関税評価と対価性

関税法の対象となる取引のほとんどが、売手（輸出）と買手（輸入）形態のものであるものから成り、その前提として、売手買手間の販売契約があります。

契約の当事者間に相互的な債権・債務の関係が生じ、法律的な対価関係がある契約を**双務契約**といいます。一方、**片務契約**とは、一方だけが債務を負担し、相手方がこれに対する対価的な義務を負わない契約で、贈与が典型的な片務契約です。民法上の定めの売買・交換・消費貸借は双務契約です。**法的観点から関税のみならず間接税全般をみると、双務契約を起因として課税されます。**

輸出入取引の前提となる双務契約の成立要因として、対価性（Consideration）があることが要求されます。対価性は、次の3要件を満たさなければ成立しません。

①交換的に取引されたものであること。ただし、第三者が介在する物流・商流でもよい。

②両当事者は何らかの責務を負う。売手は製品を輸出する責務、買手は代金を支

払う責務を負う。

③法的に何らかの価値があるものでなければならない。

関税法上の対価性の価値は、通関ポイントのあるべき通関価格です。それは、次の対価性が加味されたものです。

貴社の場合、次のように対価性を分析します。

- フランス製造子会社に対する対価
- 商標権に対する対価
- デザイン料に対する対価

親子間関係である貴社と貴社のフランス製造子会社は、特殊な関係のある会社とみなされます。その特殊な関係が取引価格にどのような影響を及ぼしているのかを検討する必要があります。さらに、アメリカの会社の商標権、パリのデザイナー使用等に関しては、特別仕様のアパレルであり、現実支払価格は妥当ではありません。同種または類似の貨物に係る取引価格による課税価格の決定方法も使えないでしょう。特殊関係者間取引における課税価格決定の方法の、国内販売価格による課税価格の決定方法（逆算方法）か、製造原価による課税価格の決定方法（積算方法）により算定することになろうかと思います。

次に商標権に対する対価、デザイン料に対する対価の分析です。商標権に対する対価、デザイン料に対する対価がすべてフランス製造子会社から貴社に向けられる輸入品とひも付きのものだけならば、話は簡単です。しかしながら、商標権使用期間、デザイン使用期間が何年かにわたり、それらの無形資産が日本向けだけでなく、他国向けにも使用される場合、その対価をどれだけ輸入品の各ロットに配賦するのか、見込計算になりますから、不確実な要素が含まれることになります。**各国別輸入品に対する配賦の計算基礎を契約書等できちんと示しておくべきです。**課税価格を決定するには、**一般的に認められている会計原則の使用を規定**[1]してありますので、一般的に認められている会計原則に則って配賦の計算をしましょう。

本件では商標権使用料もデザイン料も独立第三者に支払うのならば、支払価格を

1　ＧＡＴＴ／ＷＴＯの関税評価協定の付属書Ｉ解釈のための注釈は、一般的に認められている会計原則の使用を要求しています。

使用できます。しかし、特殊関係者（移転価格税制でいう国外関連者）が商標権や意匠権を有している場合、その対価のあるべき評価について正当性が問われます。この場合は、関税法の観点からＤＣＦ法（収益資産の価値を評価する方法のひとつ）等で、商標権や意匠権の価値の現在価値を算定し、機能とリスク分析をし調整すべきです。このとき移転価格税制での機能とリスク分析・経済分析を行っているのなら、それを援用し、関税法の観点からのものにおき直すこともできると思います。

上記３つの対価性に加えて、輸入品決済代金の中に、対価性のない費用が含まれている場合は、課税ベースから除外（Unbundleといいます）することができます。対価性のない費用とは、一般的な金融費用、保証費用、買付手数料等をいいます。それらの費用は、輸入品インボイスと別のインボイスで決済する、あらかじめ税関に評価申告しておく等、事前の対応をしておくことで、後でのトラブルを避けることができます。知的財産権のうち、輸入貨物の原価を構成しない販売マーケットに関する知的財産権等も対価性のない費用になります。具体的には販売マーケットノウハウ等です。

対価性のない費用を課税ベースから除外する場合は、評価申告という制度を利用することをお勧めします。ただし評価申告をしないことについて罰則はありません。**評価申告とは、移転価格税制の事前確認制度に近似した制度です。**独立第三者価格で輸入価格が取り決められない場合、あらかじめ税関に、**あるべき通関価格を申告し、了承を得る**ことにより、後の税関の事後調査でのトラブルを避けることができます。税関は自らした評価申告の受理（行政行為）は、申告のときに瑕疵（かし）がある場合を除いて否認することはありません。

最後に、**関税が間接税**であることについてふれたいと思います。間接税とは、租税の転嫁が行われ、法律上の納税者と租税を実際に負担する担税者が一致しない税です。従って輸入品が一旦ある国に輸入されても、再びその国から輸出される場合は、関税の課税を留保する制度が関税法の中に用意されています。それらは、**保税制度、再輸出減免税制度等**です。これを有効活用すべきです。

4 あるべき通関価格算定方法の選択

あるべき通関価格の算定にあたっては、関税の持つ通商法の側面と、租税法の側面を総合的に勘案して決めるべきだと思います。そうでないと、移転価格税制で課税され、さかのぼって関税法で課税された分を取り戻せないということが起こります。

貴社のご質問から推察しますと、逆算法か積算法の適用と、商標権使用料とデザイン料の輸入貨物に関する対価について、見込計算をし、加算する方法になろうかと思います。

[図表 7-3]

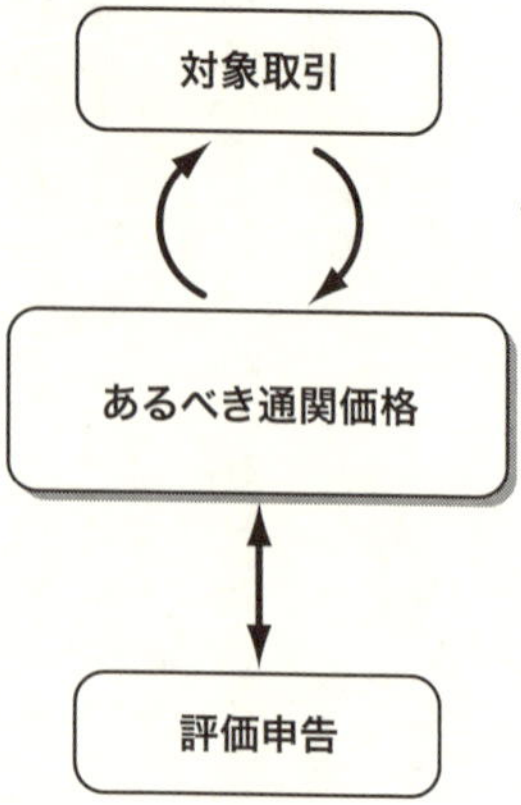

これにつき評価申告をすることになります。後に移転価格税制の調整が入り、あるべき通関価格を押し下げる場合は更正の請求（関税の還付）を、押し上げる場合は修正申告（関税の支払）をすることになります。関税法に

おいて文書化について定める規定はありませんが、評価申告のとき、売買契約、値決めの方法、マーケット価格と乖離したときの処理、知的財産権に関する取り決め等を求められます。**評価申告を何らかの理由においてしなくても、あるべき通関価格の算定方法で文書化をしておくことにより、挙証責任は税関側に転換されます。**

最後に、具体的な戦略的通関価格を経営計画に組み込むことで完成です。次の作業が、その具体的内容です。

●選定した方法を用いて通関価格を計算

●ＤＤＰ（仕向地持込渡・関税込条件）において、移転価格税制、国際税務（対価性のない費目を除外し別途支払うとき、源泉税が発生するリスク。輸入地で輸出者が通関を切り、在庫等をすると恒久的施設の問題を惹起するリスク）を勘案する

●戦略通関価格の決定

ケーススタディ②　東アジアグローバルビジネスの展開

Q 現在の不況のトンネルを抜けると、もう昔のような日本に戻ることはなく、新しい東アジアの時代がくると聞いています。東アジアのマーケットを巡って、欧米の企業と、時には対峙競争し、時には協力して、製造販売しなければなりません。東アジアグローバルビジネスを展開する上で、関税コストを削減するには、どうしたらいいのですか。何かアイデアはないでしょうか？

A 貴社の場合、通関時の関税コストを削減するだけでなく、税関事後調査でリスクを削減する必要があります。その観点から、次の3つの点を検討する必要があります。

1　関税削減の目標を設定すること
2　あるべき通関価格を下げる施策を練ること
3　税関当局との無用な争いを避けること〜文書化する

［図表7−4］
実効関税率改善

20XX年 実効関税率　実績			20X1年 実効関税率　目標			原因改善ポイント
A国	支払関税額 ／CIF価額	8%	A国	支払関税額 ／CIF価額	5%	物流経費の見直し等
B国	支払関税額 ／CIF価額	5%	B国	支払関税額 ／CIF価額	3%	買付代理人の導入等
C国	支払関税額 ／CIF価額	8%	C国	支払関税額 ／CIF価額	6%	香港における船腹・ 保険一括手配等
D国	支払関税額 ／CIF価額	5%	D国	支払関税額 ／CIF価額	4%	低課税国に物流統括 会社を設立等

1　関税削減の目標を設定すること

まずは、現在の自社の状況を知ることです。自社が輸入総額に対し、何%の関税を支払っているのか把握する必要があります。**法人税は輸入した製品を販売した時に稼いだ利益（販売代金から輸入代金を差引いた金額）に対して課せられるのに対し、関税は製品の輸入代金そのものに課せられます。**ですから、**税率は低くとも、支払う税金の額は大きくなります。**関税コスト削減の重要性を叫ぶ理由がここにあります。

自社が輸入総額に対し、何%の関税を支払っているのか把握していない企業は多いのです。通常の税金は、経理部等の財経部門で管理していますが、関税は物流部門等で管理していることが多いからです。また通関業務については、通関業者に委任しているため、関税のことがよく見えてないのも原因と考えられます。しかし、概算の実効関税率は、案外、簡単に計算できます。現在何%の関税を支払っているかをスタートラインとして、次のような削減目標を立てることがスタートラインです。

2 あるべき通関価格を下げる施策を練ること

東アジアグローバルビジネスを展開する上で、企業に競争力をつけるには、あるべき通関価格を下げる施策を練ることが大事です。それは、輸入通関時点での、次の3つの構成要素の有機的・効率的組み合わせによって決まります。

1 関税番号
2 原産地
3 関税評価

1の関税番号と2の原産地についてはすでにふれましたが、ここでは3の関税評価について、少し掘り下げます。

第1に、ＣＩＦのコスト（Cost）を減ずる方法を考えます。生産拠点を、製造原価の安い国に移転すれば、コストは下がります。あるべき通関価格に関する規定を見ると、〝輸入貨物に係る輸入取引……〟の価格が問題となることが分かります。原価を分析すると、輸入貨物に係らない原価が算入されていることは多いものです。たとえば、金融に関する費用がそうです。一定期間の製品保証に関する費用も〝輸入貨物に係る輸入取引……〟のコストとはなりません。輸入取引の条件となっている特許権等知的財産権の対価は、関税の課税ベースの加算項目です。

しかしながら、よく見ると輸入貨物に係る輸入取引の条件になっておらず、マーケティングに対する知的財産権の対価である場合もあります。これらをきちんと計算し、コストから除外することができます。特許権等知的財産権の対価は金額が大きいからです。

第2に、ＣＩＦの保険（Insurance）、運賃（Freight）を下げる方法を考えます。関税法において買付手数料は、関税の課税ベースから控除できます。買付代理人会

[図表 7-5]

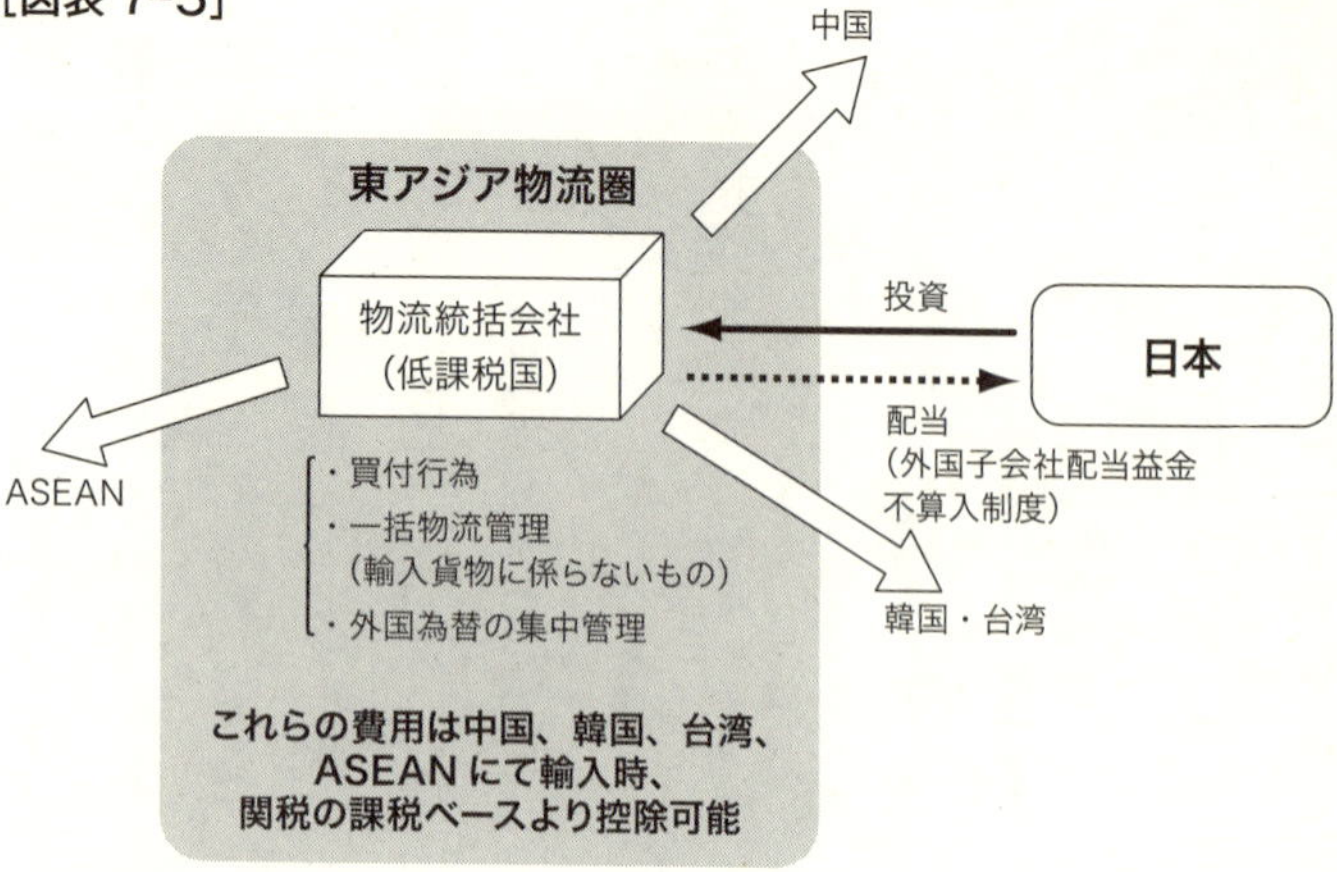

社を低課税国に設立し、買付行為を外に出します。そこで保険・運賃手配等の一括物流管理、さらには外国為替の集中管理をさせ為替リスクを低減するようなこともできます。これらの保険・運賃手配等の一括物流管理費用、外国為替の集中管理費用も、関税の課税ベースから控除できます。

貴社のような事業を展開する多くの日本企業の買付・販売部隊は、日本で外国から買付け、日本で東アジアに販売展開しているのが通例です。日本の法人税の実効税率は40％強と世界でも高い方です。物流経費も高く物流施設もシンガポール、香港、上海、韓国に比べ、遅れをとっています。

そこで、こんなスキームを考えることができます。買付機能を日本国外に移転します。この買付機能に対する対価（買付手数料）は、関税法上の要件を満たせば、関税の課税ベースから控除できます。製品を日本に輸入する場合だけでなく、中国に輸入する場合、台湾、韓国、ＡＳＥＡＮ各国等に輸入する場合も同じです。

さらに、この国外の買付機能を有する拠点に、外国為替の集中管理決済（ネッティング）機能を持たせることもできます。東アジアは通貨が異なり、通貨価値の乱高下も大きいので、為替リスクの低減は、売手買手双方にとって大きなメリットがあります。保険や海上・航空運賃の支払いも、ここに一括集中管理することにより、安くすることができます。これらの集中管理決済機能に対する対価も、個々の輸入貨物とひも付きになっている対価ではないので、関税の課税ベースから控除できます。

物流管理も実際は大変です。インボイス作成、倉庫・船腹手配、デリバリー管理、各デポにある在庫の管理、債権管理等、経費が掛かります。これらの物流を一括管理する機能も、欧米の企業は低課税国に置いています。物流管理コストも、個々の輸入貨物とひも付きになっている対価ではないものは、関税の課税ベースから控除できます。

販売部隊は、さすがに消費地に置かなければなりませんが、全体を統括する機能は、ここにドッキングさせることができます。

ただしこのような低課税国物流統括会社については、タックス・ヘイブン対策税制、移転価格税制のチェックも忘れないようにしてください。２００９年より、わが国は外国子会社配当益金不算入制度を導入しました。低課税国に投資し物流統括会社を設立し、その投資資金を配当で還流（ただし、配当送金時の源泉税については別途考慮）しても、日本の会社の法人税申告上95%は、益金に算入しなくてもよくなりましたので、投資資金を柔軟に運用できるようになりました。

3 税関当局との無用な争いを避けること～文書化する

わが国は１９９８年規制緩和推進計画で「事前規制型から事後チェック型への行政の転換」を打ち出しました。税関行政については、通関輸入時のチェックはできるだけ少なくし、その代わり事後調査でじっくりとチェックするアメリカ型の流れを取り入れました。

ＧＡＴＴ／ＷＴＯの関税評価協定にも関税法にも文書化の規定は、まだありません。

しかし、アメリカでは１９９２年の日商岩井ファーストセール事件（取引の途中に介在するミドルマンのコミッションを関税の評価から減額できるとした判決）を受け、その後ガイドラインを導入しました。それによると「ファーストセールのようなケースでは、納税者でそれを主張するものは、関税の評価に関する書類について文書化していることが重要である。文書化されていない、記録が保持されていない場合は、そのような扱いを受ける資格はない」としています。ＥＵでは２０１３年から事後調査をさらに強化することになりました。これにともない、関税評価における文書化に向けて、何らかの取り決めがなされることが、議論されています。日本や東アジアにおいては、このような議論はまだなされていませんが、税関としても、文書化がなされていれば、事後調査が短時間で効率的に済むため、管理面からも有用です。そのような流れになることは間違いないでしょう。

前述したようなあるべき通関価格を、評価の面から検討した場合には、必ずあるべき通関価格設定方法を文書化しておくべきです。評価申告すべきものは必ずしておき、リスクを限りなくゼロにすべきです。税関当局とあるべき通関価格について揉めると、莫大なコストが掛かります。管理費、人件費等だけでなく、専門家に対する報酬等もかかります。これらは予防的に準備しておくことにより、1／10位のコストになります。専門家のサポートを惜しむべきではありません。

〝文書化すべき書類〟は、次のとおりです。

［取引に関する資料］
1 会社およびグループの事業概況・案内・組織図
2 輸入商品のカタログ、パンフレット等
3 特殊関係者に関する資料
4 物流・商流図・決済の流れ
5 基本取引および取引に関係する契約書、覚書、メモ等税関は事後調査において、あるべき通関価格と加算項目、特殊関係者間取引、送金（何に対する対価かあきらかにする）、サンプル品・修理品・無償取引等が独立第三者間取引価格に置き換えられているかどうか、仮通関インボイスを本インボイスに置き換えているか、低額決済・迂回決済・相殺等、原産地が間違っていないか等をチェックしますので、それらが前述の資料で明らかになるようにしておくべきです。

移転価格税制における機能とリスクの分析は、輸出入で援用できるものは、関税法の評価を考える上で置き換えることができます。

［証憑として保持すべき輸入関係書類］

1　輸入申告書、輸入許可通知書

2　評価申告書

3　船積関係書類（インボイス、パッキングリスト、船荷証券あるいは航空運送状、保険証券等）

4　決済関係書類（信用状開設依頼書、銀行送金依頼書、キャシュマネージメン

ト等債権債務の相殺等あれば明細書等）

5　契約関係書類（契約書、発注書、商標等知的財産権に関する契約書、役務サービス契約書、仲介・買付契約書等）

6　価格に関する資料

〔経理関係書類〕

1　仕訳伝票

2　会計帳簿

3　貸借対照表・損益計算書

4　法人税申告書

これらの資料は1度作ったらもう2度と作成をする必要のない書類とは性格を異にします。適宜更新する必要のある書類です。またこの書類は、親会社とそれぞれの現地法人で作成し、保管する必要があります。そこで、皆様に移転価格決定に関する基本マニュアルを作成と同時に、関税に関する基本マニュアルの作成をお勧めします。

関税価格調査

関税価格調査の引き金

２００９年10月９日の財務省の報道発表によりますと、２００８年の事務年度（２００８／７～２００９／６）の税関事後調査は、６０８０件の輸入者に行われ、申告漏れは４１８８件で、全体の約70％にあたるそうです。申告漏れによる課税価格は１９８４億円です。

税関事後調査が実施される可能性が高い企業とは

次に掲げる状況に買手（輸入者）が当てはまる場合、税関事後調査が実施される可能性が大きいです。

(1)関税率が高い輸入品を輸入する買手(輸入者)、関税の納付額が大きい買手(輸入者)

(2)輸入額が前年比で50%前後伸びた買手(輸入者)

(3)輸入価格が前年比で50%近く下がった買手(輸入者)

(4)内部あるいは外部からの情報提供により、調査する必要がある場合

どこの国も同じような状況です。２０００年以降、電子情報処理組織が整い、上記の情報は税関側で簡単に分析できるようになりました。また上記には該当しなくとも、5~8年事後調査に入ってない買手(輸入者)にも、順次事後調査に入るようにしているようです。輸入貨物に係る納税申告が適正に行われているかどうか否かを事後的に確認し、不適正な申告はこれを是正するとともに、輸入者に適切な申告指導を行います。

ワンポイントアドバイス

税関の税務調査である事後調査とは

税関事後調査とは、税関による税務調査のことです。輸入貨物の納税申告が適正に行われているかどうかを事後的に確認し、適正な課税を確保します。通関時には、貨物を通関しデリバリーすることに重点が置かれるため、事後的にじっくり確認し、不適切な申告はこれを是正し、適切な申告指導を行います。関税法の定める税関職員の**質問検査権**です。

調査は税関から通知があり、税関が輸入者の事業所を個別に訪問し、調査をします。輸入貨物の契約書、仕入書その他通関・貿易書類を精査すると同時に、会計帳簿書類もチェックし、あるべき通関価格で輸入されているかどうかを確認します。調査対象期間は、事後調査の日から過去2年ですが、必要に応じて過去3年を調査することもあります。関税の更正、決定をすることができる期間は、法定納期限等から3年であるからです。

税関事後調査に備えて、納税者があらかじめチェックするポイントは、主として次の7点です。

1 あるべき通関価格と加算項目
2 特殊関係者間取引
3 送金
4 サンプル品、修理品、無償取引等
5 仮通関
6 決済
7 原産地

ワンポイントアドバイス

1 あるべき通関価格と加算項目

輸出者と輸入者間で取引価格がどのように決められたかをチェックします。

輸入貨物があるべき通関価格で輸入されているかどうかをチェックします。特に加算項目が漏れていないかを重点的に精査し、主に次の項目が加算されているか注意します。

① 輸入港到着までの保険料、運賃
② 仲介料、買手（輸入者）が負担する手数料（除く買付手数料）
③ 無償・値引の物品・役務
④ 知的財産権の対価
⑤ 最終的に売手（輸出者）に帰属する収益

2 特殊関係者間取引

親子会社間の輸入のような、特殊関係者間取引の場合は、あるべき通関価格が恣意的に決められていないかをチェックします。無償輸入、委託販売、リース取引にも、あるべき通関価格がつけられなければなりません。納税者

ワンポイントアドバイス

は、関税定率法に定めた方法と順番により、あるべき通関価格であることを証明する必要があります。

3 送金

送金と貿易決済が合っているかどうかをチェックします。貿易決済にない送金があった場合は、課税ベースを構成する項目の送金かどうかをチェックします。

4 サンプル品、修理品、無償取引等

サンプル品、修理品、無償取引等は、あるべき通関価格に置きなおして、輸入しなければなりません。修理品の代替にもあるべき通関価格が付されなければなりません。

5 仮通関

プロフォーマ・インボイス（仮インボイス）で通関しているときは、本インボイスに置き換えているかどうかをチェックします。差額が生じたときは、納税申告を正しいものに置き換えているかどうかをチェックします。

6 決済

決済がきちんとなされているかどうかをチェックします。相殺等がなされていないかどうかをチェックします。

7 原産地

輸出国から輸入国に直送されていない場合は、途中国で一時蔵置あるいは加工等がなされている可能性があります。輸出国と原産地が異なる場合、正しい原産地証明書が添付されているかどうかをチェックします。また場合によっては、原価計算が正しく行われているかどうかをチェックします。

最後に、関税の文書化について述べることにします。

移転価格税制では、文書化が法制化されている国が増えてきましたが、関税については、どの国の関税法もそのような規定は持ちません。税関職員は、移転価格税制の取扱いは、関税と異なるという見解を、事後調査の場で非公式ながら述べており、移転価格税制の文書化を税関の事後調査で援用しても、税関は受け付けてくれません。ただし司法がこの点につきなんら判断した訳ではないことを述べておきます。

しかし、関税についても文書化をしておくべきだと考えます。税務訴訟では、民事訴訟法の規定を準用します。そこには、一定の法律効果の存在を主張するものは、その法律効果の発生を定める法規の要件事実につき証明責任を負うとあります（法律要件分類説）。これは判例、通説であり、文書化をしておくことにより、立証責任が、税関に移転できると解しています。

コーヒーブレーク

原産地ルール

関税額を決める3つの構成要素があります。関税の評価規定と税番番号分類、最後のひとつが、輸入貨物の原産地はどこかということです。原産地によって低税率の特恵税率が適用されるのか、ＷＴＯ加盟国からの輸入の協定税率が適用されるのかが決まります。また、関税暫定措置法という法律があります。これにはいろいろ例外規定があり、暫定的に関税の減免を定めています。これらのどれにも当てはまらない場合は、基本税率が適用されます。

特恵税率とは、関税暫定措置法で定められた155の国と地域を対象としています。これらの国からきた輸入品は関税が低く定められています。さらに特恵受益国のう

ち、特別特恵受益国という国々があり、国連総会の決議で後発途上国とされた国々です。特別特恵受益国から輸入貨物に対する関税は原則として０％です。特恵税率での輸入には、権限のある機関の発行した原産地証明書を輸入通関書類に添付しなければなりません。ＷＴＯの理論の中に、発展途上国が独り立ちするまでは、保護して例外を認めようという考えがあり、それが具現化したものです。

ＦＴＡも特恵税率なのですが、ＦＴＡ締結国で生産された製品に適用されます。ＦＴＡには段階的に関税を逓減・撤廃するスケジュールを記載しなければなりません。例えば、日本シンガポールＥＰＡでは、附属書Ⅰに〝日本国による関税の撤廃のための実施日程〟が記載されています。他のＦＴＡ／ＥＰＡでも同様です。

以上より、ＦＴＡ／ＥＰＡを締結している国あるいは特恵受益国（含む特別特恵受益国）で生産し、原産地の認定を得ることができれば、ＷＴＯ加盟国よりの輸入貨物より減免された関税を適用することができるのです。実務上は特恵受益国、ＦＴＡ／ＥＰＡ国からの輸入の際、通関書類として原産地証明書を付します。これは商品が生産された原産地、すなわち国籍を証明する書類で、輸出者から輸入者に提供されるものであり、この書類が認められれば減免された関税で通関が可能になるのです。

ここで原産地について説明します。

日本の関税法には、原産地とは、原則として

①完全生産品：完全に生産した国

②実質加工品：完全生産品以外の製品については、実質的な変更を加えて生産した国

とすると定められています。

「実質的な変更を加えて生産」の判断基準には、世界的な統一ルールがありません。日本やアメリカはコーヒー豆を焙煎した国に原産地を付与しますが、ブラジルやコロンビアはコーヒーが栽培された国に原産地を付与します。またEUでは自動車の組立てにおいて、60%以上の付加価値を与えた国に原産地を付与しますが（付加価値基準）、日本やアメリカは、生産により製品の「関税の分類番号が実質的に変更された場合（関税番号分類変更基準）」に原産地を付与します。それ以外にも、特定の加工工程を施し、他の類の材料からの変更があった場合に原産を認めるもの（加

工工程基準）や、特定の品目について特別にルールを決めるもの（品目別基準）があります。

ＷＴＯでは原産地規則に関する各国の違いを調整する作業が行われていますがまだ収束していません。なおＦＴＡ／ＥＰＡの原産地認定はこの調整作業の対象外とされています。

ＦＴＡ／ＥＰＡの場合は、ＦＴＡ／ＥＰＡで締結された原産地認定の規定に従います。日本シンガポールＥＰＡによると、60％以上の付加価値を与えた場合に、このＥＰＡでの原産地認定が認められるとあり、その原価計算の方法については、細かい規定があります。たとえば、ニュージーランドからキウイをシンガポールに持込み、シンガポールでジュースにし、日本に輸入する際、日本シンガポールＥＰＡにある原産地認定を付与されなければ、ＦＴＡ特恵による税率ではなく、ＷＴＯ加盟国からの輸入の税率で関税が付加されます。

付加価値基準においては、原価計算の方法によって、付加価値基準を満たすかどうか変わってきます。かつて、カナダで組み立てたホンダの北米向けシビックが、

NAFTAの原産地付加価値基準を満たしていないと問題になりました。原産の材料は原価計算の中に含まれますが、非原産材料を使用し原産中間財を生産し、それを製品にしたような場合に、どこまでカウントするか問題になりました。FTA／EPAの中には、すべての非原産材料をカウントするトレーシング方式と、一部除外するロール・アップ方式があるからです。原産地付加価値基準を満たすため、それぞれのFTA／EPAの原価計算と原産地ルール附属書や運用規則などの内容を吟味しなければなりません。

関税での評価方法

あるべき通関価格の算定方法には、2つの方法があります。ひとつは、売手（輸出者）と買手（輸入者）が、完全競争のもとでの独立第三者間なら決めたであろう輸入CIF価格を基礎に算定する方法です。これを課税価格の原則的決定方法といいます。もうひとつは売手（輸出者）と買手（輸入者）が親子会社間のような特殊関係取引（移転価格の国外関連者取引に近似）等特別な関係にあり、輸入価格が恣意的に決められるおそれがあるという場合です。この場合、移転価格税制に似た規定が置かれています。これを課税価格の原則的決定方法が使えない場合、と規定しています。

1　課税価格の原則的決定方法

あるべき通関価格を、関税法では現実支払価格といいます。英語では

Transaction Priceといいます。あるべき通関価格には、その輸入貨物の仕入価格に加えて、次のコストが含まれていなければなりません。これらのコストを加算要素といいます。

① 輸入港到着までの保険料、運賃
② 仲介料、買手（輸入者）が負担する手数料（買付手数料を除く）
③ 無償・値引の物品・役務
④ 知的財産権の対価
⑤ 最終的に売手（輸出者）に帰属する収益

2 課税価格の原則的決定方法を使えない場合

親子会社間のような特別な関係にある場合、その他無償貨物、委託販売のために輸入される貨物、リース取引等輸入貨物が輸入取引によらないで輸入されたときも同様です。

ワンポイントアドバイス

原則的決定方法を使えない場合、次の方法が規定されています。

①同種または類似の貨物に係る取引価格による課税価格の決定方法

②国内販売価格による課税価格の決定方法（逆算方法）

③製造原価による課税価格の決定方法（積算方法）

④課税価格の決定の原則（現実支払価格）または国内販売価格による課税価格の決定方法（逆算方法）に必要な調整を行った課税価格あるいはＷＴＯ関税評価協定に適合する方法として税関長が定める課税価格の決定方法

これらの方法を買手（輸入者）が勝手に採用することは認められません。買手は、①が採用できるか、それが無理ならば、②逆算方法あるいは、③積算方法を採用します。④のＷＴＯ関税評価協定に適合する方法として税関長が定める課税価格の決定方法は、①～③の決定方法および④の前半部分がどれも使えず、デッドロックに落ち入った場合に使用できます。

[図表 7-6]

●関税定率法４条の３：逆算方式と積算方式の比較

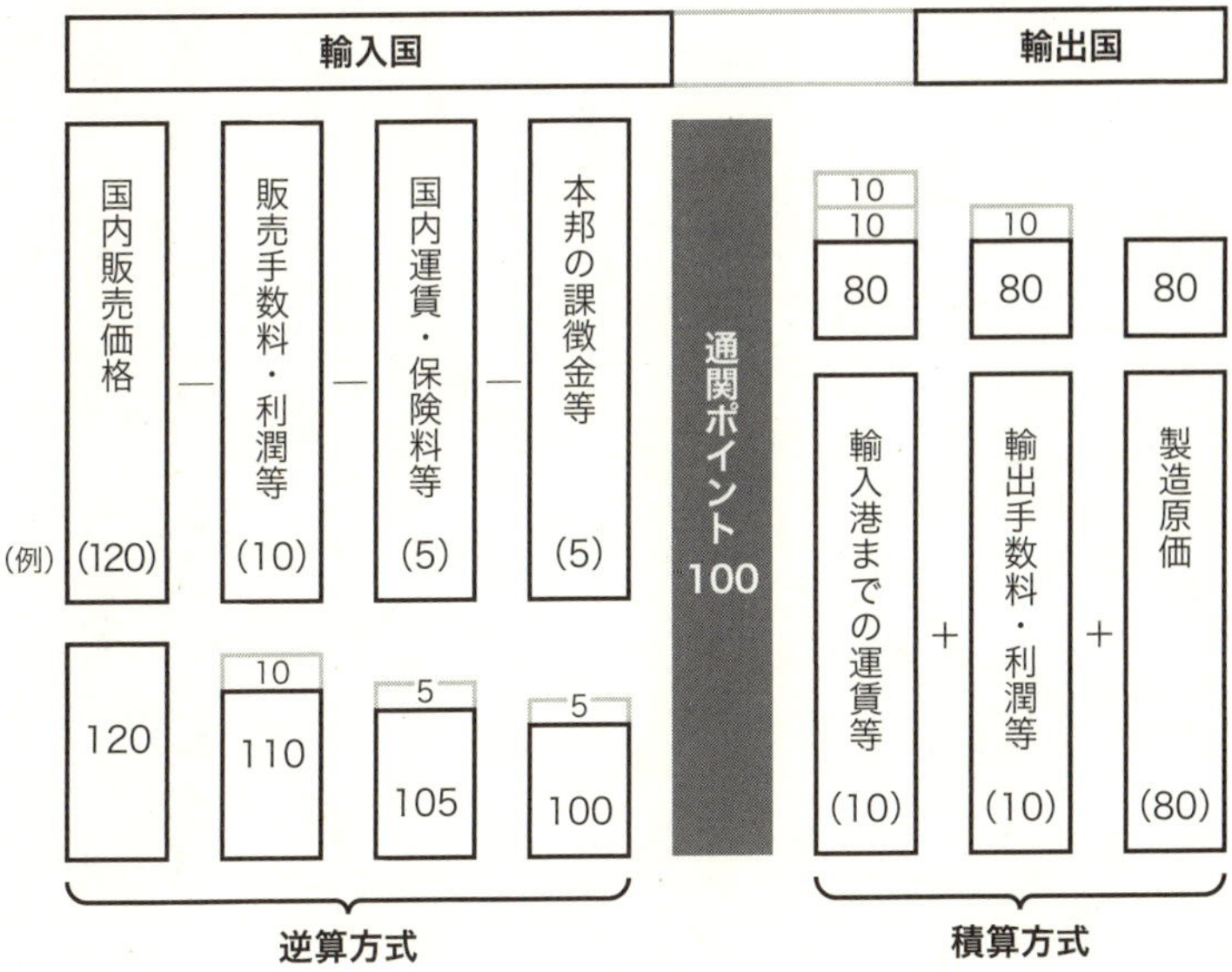

関税定率法施行令1条の11の二には、「GATT／WTO関税評価協定に適合する方法として、税関長が定める方法により計算される価格」とのみ規定しており、それ以上については定めはありません。

関税率の適用の指針

輸入貨物が関税率表のどの品目番号に分類されるかが、判明できない場合があります。そのため、関税定率法に、「関税率表の解釈に関する通則」という指針があります。

この指針を外面がプラスチックシート製・紡織用繊維製のハンドバッグに適用した場合を例にして説明します（図表７—７）。このハンドバッグに、外側に貴金属のバックルがついている場合、関税率表の品目番号は、４２０２・２２・１００４です。最初の６桁４２０２・２２の分類基準は、世界共通です。残りの４桁１００４は各国が独自に決めています。

６桁の最初の４桁４２０２は、「革製品及び動物用装身具並びに旅行用具、ハンドバッグその他これらに類する容器並びに腸の製品」を意味しています。

そして次の２桁22は、外面がプラスティックシート製・紡織用繊維製である

[図表7−7]

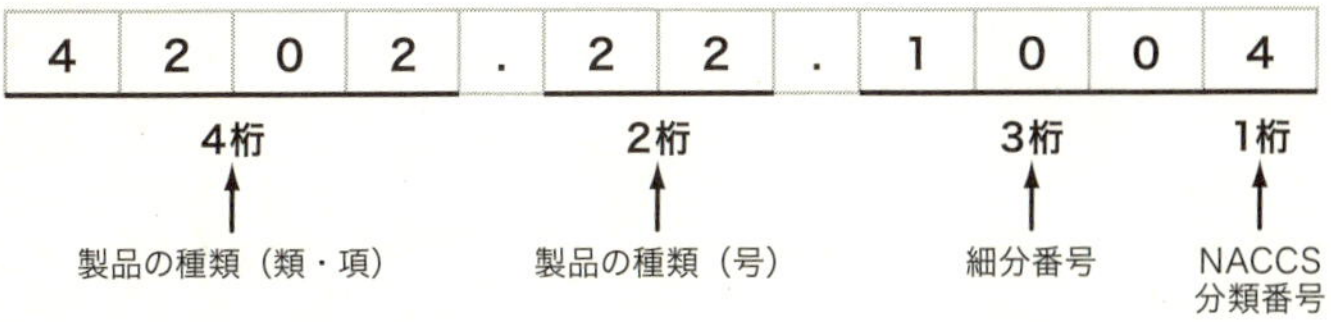

ことを意味しています。

次の3桁の番号が統計細分番号です。貴金属、貴石、さんごを使用し、課税価格が1個につき6000円を超えるものは、統計細分番号100に該当し、貴金属等がなければ、統計細分番号200に該当します。

最後に税関の電子情報処理組織の分類番号（NACCS分類番号）1桁が付けられます。数字自体に何を表わすかの意味はなく、単にシステム上、入力ミスがないかどうかを自動的に確認するための判別番号になっています。番号の決定方法は、品目番号9桁を「7」で割り、

割り切れた場合↓「0」、

割り切れなかった場合↓「余りの数」

よって、NACCS分類番号は「0〜6」のみになります。

品目番号から関税率表を検索すると、該当する品名が分かります。品目番号4202・22・1004は、貴金属等のバックル付き（課税価格が1個につき6000円を超えるもの）のハンドバッグであり、品目番号4202・22・2006のハンドバッグは、それ以外のハンドバッグを意味しています。なお、第6章のケーススタディ⑥関税を合法的に下げる方法も参照して下さい。

Chapter

8

第8章　非関税障壁

非関税障壁

非関税障壁を知っておくことは大切なことです。

国内産業を保護するにあたり、関税以外の障壁をたくさん設ける国もあります。これが非関税障壁と呼ばれるものです。非関税障壁は、関税率を上げるのと同じように輸入量を減らす効果を有します。

ＧＡＴＴ／ＷＴＯは、関税その他の貿易障害を軽減し、加盟国の生活水準の向上、雇用の確保、有効需要を増加させ、資源の完全利用を目指すために、国際貿易での差別待遇を廃止する取決めを締結しました。このため、非関税障壁についてもＧＡＴＴ／ＷＴＯは原則廃止との立場を取っていますが、**例外を設け、安全保障のための措置、公衆道徳の保護、人・動植物の生命・健康保護のための措置についてはこれを認めることとしています。**したがって、それ以外の非関税障壁は、ＧＡＴＴ／ＷＴＯの精神に反することとなるので障壁を低くする、あるいは廃止していくことが加盟国の目指すゴールなのです。

しかし、現状においては、依然として非関税障壁は存在しています。企業がグローバルにビジネスを展開していく上で、事前に輸入国の非関税障壁を知っていないと不利益をこうむってしまうことになります。このため、他国とのビジネスを展開するにあたっては、その国の非関税障壁について調査し、良く理解しておくことが大切です。

ケーススタディ① 非関税障壁に対する対応～通信機器部品の製造業

Q 弊社は国内において通信機器部品の製造業を行っています。しかしながら、このところ日本市場は飽和状態となっており、このままでは今までの利益水準を維持していくことが困難な状況となってきています。そこで、このような状況を打破すべく、新たにＡＳＥＡＮ圏に事業を展開していくことを計画しています。現在社内で海外へ事業を展開する上で問題となる移転価格、および関税について検討を行っています。これら以外にも考慮しておくべき事項がありますか?

A 移転価格、および関税以外に、非関税障壁についても事前に調査・検討しておく必要があります。非関税障壁とは、その国の国内産業を保護するために置かれている関税以外の障壁のことを指します。非関税障壁の代表的な規定は、外国為替及び外国貿易法（いわゆる外為法）といわれるものです。

ＧＡＴＴ／ＷＴＯは、ヒト・モノ・サービス・資本の自由な移動を目指しております。このため、関税その他の貿易障害を軽減し、加盟国の生活水準の向上、雇用の確保、有効需要を増加させ、資源の完全利用を目指すために、国際貿易での差別待遇を廃止する取決めを締結しております。このようなことから、非関税障壁についてもＧＡＴＴ／ＷＴＯは原則廃止との立場を取っておりますが、例外を設け、安全保障のための措置、公衆道徳の保護、人・動植物の生命・健康保護のための措置についてはこれを認めることとしています。たとえば、国家の安全、環境、衛生等が脅かされたとき、あるいはおそれがあるとき、その国家は外為法によって、ヒト・モノ・サービス・資本の自由移動を規制することができます。外為法について言えば、どの国家も同じような法律を設置しています。

なお、非関税障壁に関しては、ＧＡＴＴ／ＷＴＯの精神に反することとなるので低減・廃止していくことが加盟国の目指すゴールとなります。しかし、現状においては、依然として非関税障壁は存在しています。非関税障壁は、大きく分けて次の

3つに分類することができます。

1 輸入非関税障壁

輸入国が特定品の輸入を抑制するために設けるものです。具体的には、まず、輸入の許可枠やライセンスがないと輸入できない輸入割当制や輸入ライセンス制があります。この輸入割当制や輸入ライセンス制は外為法で規制されています。二番目に、関税ではない輸入課徴金や、特定品を輸入するに際し担保を要求する輸入担保制があります。三番目に、特定品の輸入だけに輸入手形の決済資金を融通し、他の輸入品には融通しないとする差別的貿易金融制度等もあります。一番目の輸入割当制は、輸入品を生産する国内産業を保護するのにとても有効なため、しばしば用いられてきました。日本ではいわし・さんま・あじ等の近海魚、食用海草、絹織物等を除き、輸入割当品は姿を消しつつありますが、外国では依然として存在しています。

2 輸出非関税障壁

最も頻繁に利用されるものとして、輸出国が輸出者に対し、輸出補助金を与える場合があります。輸出補助金は、その国の関連国内法の中で規定（条例、規則、政令、省令等）されています。また、輸出者に輸出金融の優遇措置を与えることもあります。さらに、輸出産業に税制上の恩典を与える輸出優遇税制などもあります。輸出非関税障壁は、仕向国での輸入関税を下げるのと同じ結果となります。ＥＵ各国が自国農業を推進するために農業に輸出補助金を与え、輸入国との間で論争になったのは、記憶に新しい出来事です。

3 それ以外の非関税障壁

明らかに貿易規制を目的としたものであれば、ＧＡＴＴ／ＷＴＯの精神に反すると声高に叫べるのですが、別の政策目的で規制され、反射的に貿易非関税障壁となっているものが多く存在しています。主なものとして、仕向国での工業規格、安全規格、食品衛生法、薬事法、計量法、行政指導、政府調達に関する法などがこれにあたります。ＧＡＴＴ／ＷＴＯ加盟国でも、同様の規制があります。また、関税に関する評価方法の行政裁量部分も、広い意味で非関税障壁にあたるという考えもあります。

ケーススタディ②非関税障壁に対する対応～健康器具

Q

弊社は国内において健康器具の販売を行っています。昨今の世界的な健康ブームを受けて、今後、海外の視野に入れて事業を拡大していくことを考えています。しかし、製品を海外に輸出するにあたっては、国によって関税以外にも障害となる法令などを設けているところもあると聞きました。具体的にはどのようなものなのですか？　例を示して説明してください。

A 輸出するにあたって関税以外の障害は、非関税障壁といわれるもので、法令等によって、その国の国内産業を保護するために置かれています。非関税障壁は、大きく分けて、①輸入非関税障壁、②輸出非関税障壁、③その他の非関税障壁、の3つに区分されます。このうち、③のその他の非関税障壁の中には、直接的に輸入に対する障壁とすることを意図して設けられたものではなく、それ以外の政策目的で規制されたものが、反射的に貿易非関税障壁となっているというものが多くあります。そこで、今回は、その他の非関税障壁についていくつか具体例を挙げて説明します。

商品に関する安全規格を示す基準として、ＥＵのＣＥマークというものがあります。ＣＥとはフランス語のCommunauté Européenne（欧州共同体という意味）の略であり、ＥＵ27カ国、および、アイスランド、リヒテンシュタイン、ノルウェー、スイス、トルコにおいて商品を輸入・販売するにあたっては、このＣＥマークという加盟国基準を満たすマークを付すことが必要とされております。また、ＣＥマーク使用の許可に関しては、当該商品が使用の基準を満たしたという文書化も必要とされます。

また、同じくＥＵでＲｏＨＳ指令（Restriction of Hazardous Substances）というのがあります。ＥＵ加盟国内において、鉛・水銀等の物質が一定以上含まれた電子・電気機器（Electrical and Electronic Equipment 以下、「ＥＥＥ」という）は販売することができません。これがＲｏＨＳ指令です。さらに、電気・電子製品のリサイクル義務（Waste Electrical and Electronic Equipment 以下、「ＷＥＥＥ」という）を定めるＷＥＥＥ指令では、ＥＥＥを欧州連合内で販売する製造業者は、製品が廃棄物として環境に悪影響を与えないよう配慮することが求められます。回収やリサイクルが容易に行われるよう、製品設計やマーキングをすること、また、回収・リサイクル費用の負担などが求められます。なお、回収・リサイクルなどについても製造者が責任を持ちます。

中国にもＣＣＣ認証制度（China Compulsory Certification）があります。ＣＣＣ認証目録にリストアップされている製品は輸入時、および、販売時に認証ラベルを貼付しなければなりません。これにより品質検査基準を維持しております。さらにＥＵのＲｏＨＳ指令・ＷＥＥＥ指令に似た「電子廃棄物環境汚染防止管理弁法」も２００８年から施行されています。

ケーススタディ③　非関税障壁に対する対応～「それ以外の非関税障壁」

Q 非関税障壁に関する3つの区分のうちの1つである「それ以外の非関税障壁」には、関税に関する評価方法の行政裁量部分はこれに該当するという考えがあると聞きました。この点について少し詳しく説明してください。

A まず、関税に関する評価方法の行政裁量部分について説明します。買手が、買付代理人を指定し買付行為を行った場合、買付代理人の手数料は、あるべき通関価格に含まなくてもよいという関税法の考えに関連するものです。買付代理人とは、もっぱら物品または商品の購入をするための権限が与えられた人です。現実のビジネスでは、物品の供給者を探し、その情報を買付代理人が買手に伝えるだけではな

[図表8-1]

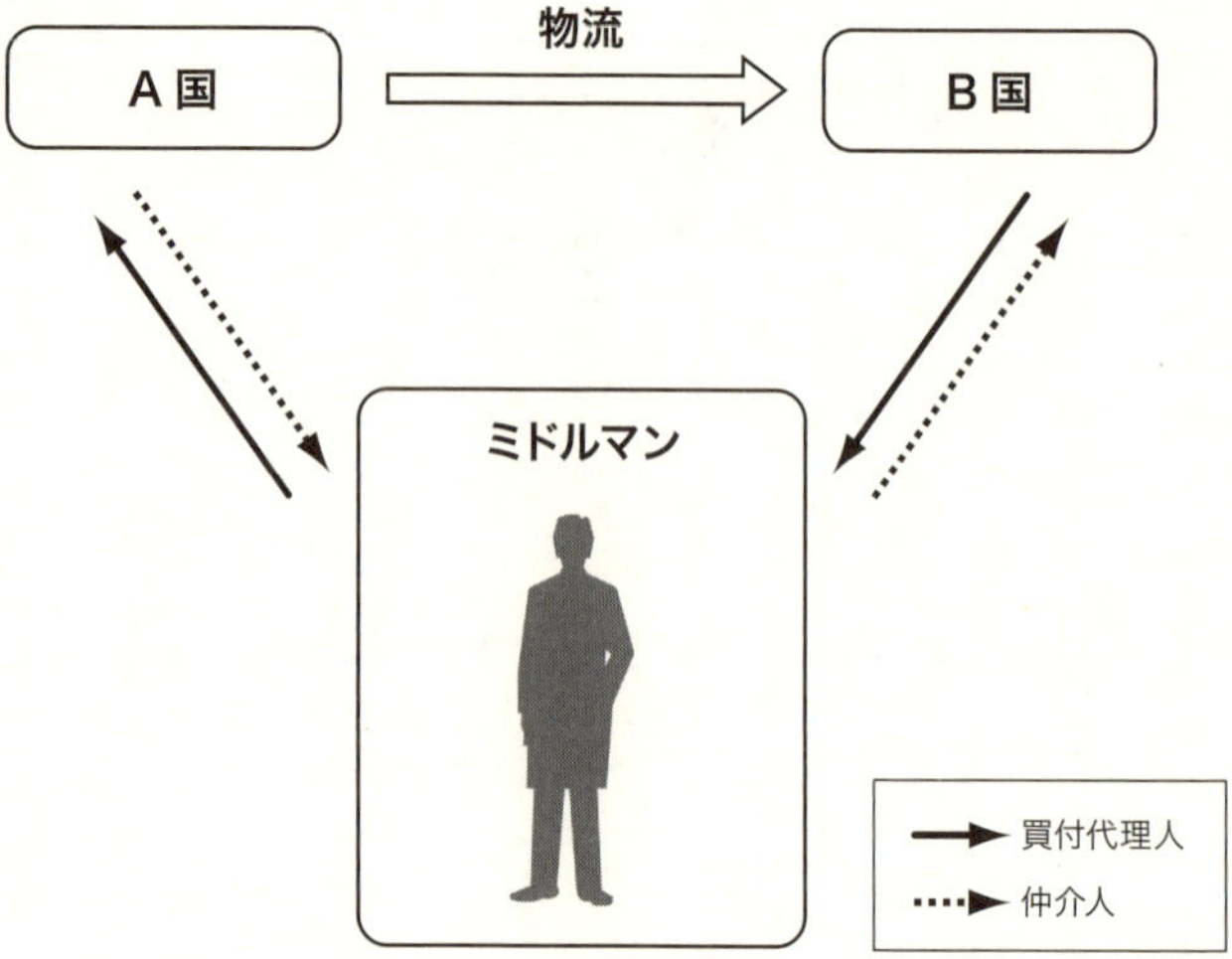

いのです。更に、貨物を検査すること、貨物の付保・運送・保管・引渡しを手配する業務まで多岐にわたります。この多様性が税関評価部門に多くの裁量の余地を与えています。これらの業務は、買付代理人のみならず、売手の代理人にも必要な業務なのだからです。

買付代理人は、売手と買手の間に立つミドルマンがなります。ミドルマンは、仲立人等の独立の地位を有する人です。したがって、ミドルマンの顧客は、買手の場合もあり、売手の場合もあります。売手の代理人になっている場合は、当然のこととして買付代理人ではありません。

売手の代理人の手数料は、あるべき通関価格に含まなくてはなりません。現実のビジネスでは、買付代理人契約書もなく、ミドルマンがどちらの側に立って行動しているのかがはっきりわからない場合が多いです。この状況を利用して、輸入国の税関評価部門は、税収確保の観点から、ミドルマンを買付代理人と解するように極めて限定的に狭く解釈する傾向があります。結果として、買付代理人が売手の代理人と認定されることになります。そのことで、あるべき通関価格が上方にゆがめられ、高くなってしまうことになります。このような裁量行政は、輸出入に当たっての障害になります。

ケーススタディ④　輸出業者に課される制限

Q 弊社は建設用機械の製造業を営んでいます。現在、弊社製品を海外へ輸出していますが、今度「輸出者等遵守基準」というものが導入されると聞きました。この「輸出者等遵守基準」というのは具体的にどのようなものですか？

A 2010年4月1日より、「輸出者等遵守基準」が導入されました。これは、安全保障貿易管理に従って輸出をするために設けられた輸出者等遵守基準であり、すべての輸出者に当該基準の遵守が義務付けられることになりました。まだ国民に浸透していないことから、違反者にいきなり罰則が科せられるということではなく、なにか問題があれば指導や勧告がなされ、それに従わない場合は命令、それでも応じない場合は罰則を適用するという計画とされています。この「輸出者等遵守基準」について、少し詳しく説明いたします。

遵守規準の内容

1 輸出管理責任者

組織を代表する者が輸出管理責任者になります。

2 輸出管理体制

業務分担、責任関係の輸出管理体制を定めます。

3 該非（がいひ）確認責任者

該非確認とは、「輸出する貨物又は技術について、自己の責任において最新の外為法等に基づく規制貨物等に該当するか否かを判定し確認する」ことをいいます。該非判定は輸出貨物の特性、技術等をより把握している製造者が判定するのが一般的です。

該非を確認する手続きと責任者を選任することが求められます。

4 リスト規制品・キャッチオール規制品確認手続き

リスト規制品とキャッチオール規制品の用途確認及び需要者確認を行う手続きを定め、手順に従って確認を行います。なお、リスト規制品とキャッチオール規制品については、「コーヒーブレーク「外為法」は過去の遺物か!?」にて説明しています。

5 輸出時確認

輸出品が該非確認を行ったものかどうかの確認をします。

6 輸出管理監査手続き

監査手続きを定め実施するよう努めます。

７　指導・研修

該非確認責任者及び輸出従事者に指導を行います。会社は研修を実施するよう努めます。

８　文書保存

関係文書を適切な期間、保存するよう努めます。

９　法令違反等

法令違反があったときは、速やかに経産大臣に報告し、再発防止に必要な措置を講ずることが定められています。

無許可輸出には、罰則があります。

〈刑　罰〉　大量破壊兵器関係は10年以下の懲役又は１０００万円以下の罰金

〈行政罰〉　３年以内の輸出・技術提供の禁止

なお、「輸出者等遵守基準」は経済産業省が管轄になります。

また、「輸出者等遵守基準」に似た制度として「ＡＥＯ制度」というものがあります。これは、２００９年７月１日から導入された制度で、関税法で規定されており、税関が管轄しています。「ＡＥＯ」とは、Authorized Economic Operator（認定された経済事業者、認定事業者）のことです。法令遵守（コンプライアンス）に優れた事業者を税関が認定し、通関手続きの簡素化・円滑化等の便益を事業者に与えます。次が「ＡＥＯ」の取得要件になります。

①一定期間、法令に違反して処罰を受けていない

②適正な輸出申告を行うための業務遂行能力を有している

③セキュリティ確保のための法令遵守規則を定めている

アメリカでは２００１年９月11日の同時多発テロ発生以降、ＣＳＩ（Container Security Initiative コンテナ安全対策）や「船積24時間前申告ルール」など、貨物の安全管理が強化されてきました。安全確保と貿易円滑化を両立するための取り組みとして、Ｃ－ＴＰＡＴ（Customs-Trade Partnership Against Terrorism テロ防止のための税関・産業界パートナーシップ）も２００２年から導入されています。Ｃ－ＴＰＡＴというのは、ＡＥＯ制度と同様の制度です。ＥＵにおいても、ＡＥＯ制度は２００８年1月から導入されました。

コーヒーブレーク

「外為法」は過去の遺物か!?

外国為替及び外国貿易法は通称「外為法」と呼ばれ、1949年に制定されましたが、戦後の混乱期の我が国の状況を反映して、対外取引は原則禁止となっていました。ですから、為替管理は非常に厳しく、外為法は当時は泣く子も黙る厳しい法律でした。

その後、1980年の改正において、対外取引を原則自由とする法体系に改められ、1998年の改正では、事前の許可・届出制度を原則として廃止するとともに、外国為替公認銀行制度、両替商制度を廃止する等、自由で迅速な内外取引が行えるようになりました。2010年の改正では、2006年以降不正輸出が相次いだため、

（1）技術移転規制強化、（2）技術取引に関わる仲介取引を規制対象の拡大、（3）輸出者等遵守基準の導入がなされました。しかし、**外為法が実務で問題になることは、ほとんどありません。**

では、現在はどうなっているのでしょうか。

外為法において現在も残っている規制で特質すべきものは、「国際平和及び安全を維持するための輸出規制」です。

国際平和及び安全を維持するための輸出規制は、**モノの輸出のみならず、技術提供（役務提供）も規制対象**です。技術提供の形態は、設計図、仕様書、マニュアル、試料・試作品の技術情報を、紙、メール、CD、USB、メモリ等の記憶媒体等で提供することを含みます。さらに技術指導、技能訓練、作業知識の提供、セミナーでの技術供与も含みます。外国に研究機材を発注する際に渡す仕様書も同様です。国際平和及び安全を維持するための輸出規制には、リスト規制とキャッチオール規制があります。

（リスト規制）兵器、兵器になりそうな高い性能を持つ汎用品、兵器の開発に利用できる高い性能を持つ汎用品をリストアップしています。輸出するには事前に経済産業省の許可を必要とします。

（キャッチオール規制）リスト規制品目以外で木材・食品以外のものの輸出で、その用途や需要者に兵器の開発に関する懸念がある場合は、経済産業省が用途要件、需要者要件の確認を行います。経済産業省で要許可とされた場合は、輸出許可が必要となります。しかし、ホワイト国26カ国向けは通常その輸出許可が不要です。

　現在の外為法が対外取引は原則自由としていることから、日常業務で外為法に忙殺されることはありません。しかしながら、「我が国の平和と安全の維持のために特に必要なときは、有事規制ができる」ことが定められています。今の外為法は、国家存亡の危機というような、いざという時以外は使われない、切り札的法律なのです。つまり、セーフティネットの役割を果たす法律なのです。

1　ホワイト国とは、大量破壊兵器等に関する条約に加盟し、キャッチオール規制の制度を導入している国のことです。これらの国から大量破壊兵器の拡散が行われるおそれがないことから輸出規制をする必要がありません。ホワイト国は以下の通りです。アイルランド、アメリカ、アルゼンチン、イタリア、ＵＫ、オーストラリア、オーストリア、オランダ、カナダ、ギリシャ、スイス、スウェーデン、スペイン、韓国、チェコ、デンマーク、ドイツ、ニュージーランド、ノルウェー、ハンガリー、フィンランド、フランス、ベルギー、ポーランド、ポルトガル、ルクセンブルグ。

所得相応性基準（Commensurate with Income Standard）

米国移転価格税制で採用されている基準で、「無形資産の移転および実施権の供与については、その対価の額は当該無形資産に帰属すべき所得と釣合いのとれた（相応した）ものでなければならない」とするスーパーロイヤルティ条項の具体的基準である。この基準によれば、実施権供与の時見込んだ売上以上に後日の売上が伸びた場合は、ロイヤルティの料率も売上の伸びに相応して定期的に修正すべきであるとしている。

スーパーロイヤルティ条項（Super Royalty Provisions）

無形資産の移転および実施権の供与については、その対価の額は当該無形資産に帰属すべき所得と釣合いのとれた（相応した）ものでなければならないと定めた米国移転価格税制の条項である。本邦税務当局はこの条項を認めない態度をとっている。

ら行

利益比準法（CPM : Comparable Profit Method）

法人が国外関連者に製品を販売する場合、その取引にかかわる棚卸資産と同種の棚卸資産を購入する第三者が当該製品の販売（国外関連者取引と取引段階、取引数量、その他の条件が同様の状況のもとで売買した場合）によって得られる営業利益と同様な営業利益率をもたらすような移転価格を独立企業間価格とみなす方法。従来の方法が売上総利益を基準にしていたのに対し、この方法は営業利益を基準にしていることに特徴がある。付言すれば、取引単位営業利益法では、当該製品に関わる取引単位の営業利益率が使用される。一方、利益比準法は、取引単位でなく会社単位で比較する方法である。

P.104、P.167、P.180

Ⅳ．米国税制に関する基本用語

か行

規則（Regulations）

日本での施行令に該当する。

規則（案）（Proposed Regulations）

米国では施行令を発令する前に、施行令の原案を公表し、会計の専門家や企業の意見を聞く。この施行令の原案を規則（案）と呼ぶ。この規則（案）が法律となった場合は、規則あるいは暫定規則の形態をとる。

さ行

最適方法適用基準（Best Method Rule）

独立企業間価格を決定する際に納税者の事業状況に応じて、納税者が最適と思われる移転価格決定方法を採用することを求める基準である。どの方法が最適であるかは、入手可能なデータ、非関連者取引との比較可能性および取引金額の調整可能性によって決定される。

P.168

暫定規則（Temporary Regulations）

時限立法の形態で公布された規則。

消費税（消费税）

消費税は、日本のタバコ税、酒税、ガソリン税等に該当する間接税である。

P.284

増値税（増值税）

増値税は、日本での消費税に該当する多段階間接税である。増値税は、物品の販売と受託加工業者の受取る加工賃が対象になり、基本税率は17％である。しかし、生活必需品に対する増値税は、13％である。中国の税収は、増値税、営業税、消費税の間接税の占める割合が高く、全体の税収の50％前後は、これら間接税から発生している。

P.282、P.284

た行

独立価格比準法（可比非受控价格法）

上記「移転価格に関する基本用語」での説明を参照のこと。

独立企業間価格（公平交易价格）

上記「移転価格に関する基本用語」での説明を参照のこと。

取引単位営業利益法（交易净利润法）

上記「移転価格に関する基本用語」での説明を参照のこと。

ら行

利益分割法（利润分割法）

上記「移転価格に関する基本用語」での説明を参照のこと。

か行

関税（关税）

上記「関税に関する基本用語」での説明を参照のこと。

企業所得税（企业所得税）

企業所得税は、日本での法人税に該当する税である。法人税率は25%である。主として中央企業対する企業所得税は国税であるが、その他の企業に対して課される企業所得税は、地方税である。中央企業とは、国務院の国有資産監督管理委員会が資産を保有している国有企業である。地方政府が所管する企業も多く「中央企業」に対して、それらの地方政府所有の企業は、「地方企業」と呼ばれる。私企業に課される企業所得税は、地方税である。それゆえ、中国での移転価格問題は、国税ではなく、地方税の問題である。

原価基準法（成本加成基准法）

上記「移転価格に関する基本用語」での説明を参照のこと。

個人所得税（个人所得税）

個人所得税の中国の税収に占める割合は低く、全体の税収の7%前後である。日本の税収の中心は、法人税と所得税からで、それぞれの占める割合は各30%前後である。

さ行

再販売価格基準法（再销售价格基准法）

上記「移転価格に関する基本用語」での説明を参照のこと。

残余利益分割法（残余利润分割法）

上記「移転価格に関する基本用語」での説明を参照のこと。

不当廉売関税＝ダンピング

貨物が正常価格より低い価格で輸出のため販売され、かつ輸入国において、同種の産業に損害を与えるおそれがある場合に課せられる関税の一種。輸入国は、同種の産業を保護するために、通常の税率による関税以外に、正常価格と不当廉売価格の差額と、同額以下の関税を課することができる。不当廉売関税制度では、現実支払価格のことを「正常価格」という。

関連条文　関定8

や行

輸入消費税の課税標準と計算

貨物の輸入においては、事業者に限定されず、個人による輸入も消費税の対象となる。輸入取引における課税標準額とは、関税課税価額（CIF価格）、関税、および酒税等（酒税、たばこ税、揮発油税等の間接税）の額の合計金額となる。その金額に輸入消費税率5%が課せられる。

関連条文　消4②、消2①十一、消28③、消29、地72の83

Ⅲ．中国税制に関する基本用語

あ行

移転価格（转让定价）

上記「移転価格に関する基本用語」での説明を参照のこと

営業税（营业税）

営業税は、中国国内においてなされる労務役務の提供に対して課される税である。増値税の課税対象が、主として物品であること、それから増値税は、受取増値税から仕入税額控除が取れるが、営業税は、提供したサービスの対価に対して3～5%の営業税が課される。

特恵受益国／特別特恵受益国

経済が開発途上にあり、固有の関税および貿易に関する制度を有し、関税について特別の便益を受けることを希望する国を「特恵受益国」という。特恵受益国のうち、国連総会の決議により、49カ国の後発開発途上国に対して、特に優遇する措置を実施している国を「特別特恵受益国」という。特恵受益国／特別特恵受益国からの輸入貨物については、関税の税率が低くなっている。

関連条文　関暫措8の2、関暫措令25

P.360

は行

非関税障壁

国内産業を保護するために、関税によらないで行う輸入抑制手段をいう。他法令による国内産品の規制が、反射的に非関税障壁となる場合が多い。

関連条文　1947年GATT 11

P.77、P.372

評価申告

親子会社間取引等のような特殊関係が課税価格の決定に影響を与える場合、事前に当該輸入貨物の課税価格を決定するために必要な事項を書面により税関に予め申告する制度で、移転価格税制の事前確認制度に近似した制度。特殊関係がなく、かつ輸入取引に特別な事情がない場合は、評価申告する必要はない。

関連条文　関令4①四、関令4③～⑤

P.337、P.338

税関事後調査

輸入通関後における税関による調査のこと。輸入された貨物にかかる納税申告（輸入申告）が適正に行われているかどうかを確認し、不適正な申告はこれを是正し、輸入者に対する適切な申告指導を行う。これにより適正な課税を確保することを目的とする。国税における税務調査にあたる。

関連条文　関105①六

P351、P.353

た行

特殊関係者

売手と買手の間に、取引価格に影響を与えているような関係がある場合、売手と買手の関係を「特殊関係者」という。両者のいずれか一方の者が他方の事業の議決権を伴う社外株式の総数5%以上を直接または間接に保有している場合、両者が行う事業に関し、相互に事業の取締役その他の役員となっている場合等が、実務上重要な例である。

関連条文　関定令1の8

特殊関係者間取引における課税標準

親子会社間取引等のような特殊関係者間取引では輸入価格が恣意的に定められるおそれがあるとして、関税定率法は、同種または類似貨物の取引価格による決定方法、国内販売価格による決定方法（逆算方法）、製造原価による決定方法（積算方法）、現実支払価格・逆算方法に必要な調整を行った課税価格あるいは税関長が定めWTO関税評価協定に適合する方法による順番で課税標準を定めることができるとする。ただし納税者が逆算方法でなく、積算方法によることを望む場合は、積算方法を優先できる。

関連条文　関定4②、関定4の2、関定4の3、関定4の4

現実支払価格

輸入貨物に係る輸入取引がされた時に買手（輸入者）によって、売手（輸出者）に対し、または輸入貨物に係る輸入取引がされた時に買手（輸入者）によって、売手（輸出者）に対し、または売手のために、その輸入貨物に対して現実に支払われた、または支払われるべき価格をいう。

関連条文　関定4①

P.75、P.310、P.334、P.364

さ行

実行関税率表

関税定率法別表に掲載されている、輸入貨物の税率を定めた表を「関税率表」といい、その表に必要な情報を足して編集したものを「実行関税率表」という。

関連条文　関定別表

P.274、P.368参照

世界貿易機関（WTO）

自由で円滑な世界貿易を推進するために、1995年に創設された国際機関。その前身はGATT（関税および貿易に関する一般協定：General Agreement on Tariffs and Trade）である。WTOが設立されたことにより、紛争処理能力の強化、サービス・投資・電子商取引等経済取引の円滑化や知的財産権等、従来のGATTでは規律の対象となってこなかった新分野における合意がなされた。2010年には加盟170カ国になる予定（2009年5月時点、加盟153カ国）。WTOはWorld Trade Organizationの略称である。

関連条文　WTO協定

P.290、P.373

関税の課税標準

税額を算定するときの基礎となるものを課税標準という。関税の課税標準としては価格が最も一般的であり、通常は輸入品のCIF価格が、課税標準とされる（従価税）。その他、個数や重量などの数量が課税標準とされるもの（従量税）や、従価税と従量税を組み合わせたもの（混合税）もある。

関連条文　関令59の２①②③

関税障壁

内国産業を保護するために関税を強化し、同種・同類の製品輸入を阻止することである。GATT／WTOは国際貿易の発展のため、関税の引下げを実施してきた。

関連条文　1947年GATT 11

経済連携協定（EPA）

経済条約のひとつで、二以上の国(又は地域)で物品の貿易等を自由化するために締結する協定のこと。締約国間での経済取引の円滑化、サービス・投資・電子商取引等、経済に関するさまざまな領域での連携強化・協力をも含めたものをいう。

EPAはEconomic Partnership Agreementの略称である。

関連条文　1947年GATT 24

P.293、P.297、P.298

原産地

貿易取引される商品の国籍を指す。それを証明する書類が「原産地証明書」という。

関連条文　関令61

P.328、P.359

Ⅱ．関税に関する基本用語

あ行

あるべき通関価格

本書では、関税上、正常な価格とみなされる輸出・輸入の取引価格をあるべき通関価格と呼ぶ。関税の基本は、あるべき通関価格によった輸出・輸入か否かである。関税法の下では、このあるべき通関価格を現実支払価格と呼ぶ。その含まれていない限度において、輸入港到着までの保険料・運賃等、仲介料（買付手数料は除く）等、無償・値引き・提供物品または役務、知的財産権の対価、売手帰属収益を加える。

関連条文　関定４①

P.76、P.269、P.325、P.338、P.353

インコタームズ

パリの国際商工会議所が定めた定型的な取引条件で、広く国際的に使用されている。その内容は、取引当事者間の費用負担の限界と危険負担の限界を定めている。現在は「インコタームズ2000」が使用されている。そこで、貿易取引の契約書に「本契約で使用されている貿易条件は、インコタームズ2000によって解釈する」というような約款を入れることが一般的である。インコタームズ（Incoterms）は、International Commercial Termsの略称である。

P.300

か行

課税価格

課税標準となる価格を課税価格と呼ぶ。わが国においては、課税価格＝CIF価格（貨物の原価に保険料及び運賃を加えた価格）とされる。

関連条文　関令59の２②

P.332、P.334

業の利益は営業費用との間に相関関係がある場合に有効であるとされている。

P.170

$$ペリー比率 = \frac{売上総利益（Gross\ Income）}{営業費用（Total\ Operating\ Cost）}$$

補償調整（Compensating Adjustment）

国外関連者の実際の営業利益が、当該関連者が採用した移転価格算定方式で予定されるある一定の利益の幅の外にある場合に、移転価格算定方式で予定された利益の幅までに実際の損益を期末に修正すること。

関連条文等　事務運営指針5-19

P.325

ら行

利益水準指標（Profit Level Indicators）

独立企業間価格を算定するに当たって、関連者間取引と比較対象取引との比較を行う上で、その基準となる利益率を、利益水準指標と呼ぶ。たとえば、売上総利益率、売上高営業利益率、総費用営業利益率、などが利益水準指標として用いられる。なお、利益水準指標は取引の実態が最も適正に反映されものを採用することとなる。

プロフィット・スプリット法（Profit Split method）

関連会社間取引において得られる利益の総額を合理的とみなされる何らかの比率により按分する方法である。ここでのプロフィット・スプリット（利益分割法）は移転価格算定方式としての方法であって、結果として関連会社間でどれだけ利益を配分したかを見る検証方法としてのそれではない。

関連条文　措令39の12⑧一

P.87、P.88、P.105、P.180

文書化規定（Documentation requirements）

文書化規定とは、納税者に対して、その採用した移転価格の算定方法等が独立企業間原則に従ったものであることを示す資料等を事前に準備・保管し、税務当局から要求があった場合には、遅滞なくこれらを提出することを義務付けるものである。この文書化規定を置いている国は、米国、中国等を含め多く存在する。現状において、わが国にはこの文書化規定は設けられていない。しかし、平成22年度の税制改正において、措置法規則22条の10で独立企業間価格の算定に必要な書類の範囲が明記された。措置法規則22条の10に掲げられている資料を納税者が遅滞なく提示できない場合には、日本の税務当局にシークレット・コンパラブルの使用を認めることとなるため、納税者は事前にこれらの資料を準備しておくことが求められることになる。

関連条文等　措法66の4⑥、措置法規則22条の10、事務運営指針2-4

P.113

ベリー比率（Berry's Ratio）

関連者間の取引について、両者に所得を配分するにあたり、営業費用に対する売上総利益の比率を用いる方法である。この方法はDr. Charles Berry によって考案されたことから、この名称がある。この方法はサービス活動に係わる利益を測定する場合、つまり営業を遂行するにあたって同じような営業活動の機能を持つ企

は行

比較対象取引（Comparable Transactions）

非関連者（特殊な関係にない者：国外関連者に対比する概念）から購入、製造その他の行為により取得した者が、当該同種または類似の棚卸資産を非関連者に対して販売した取引。

関連条文　措令39の12⑥、⑦、⑧二

P.91、P.97、P.101、P.162、P.172、P.184

比較対象企業（Comparables）

独立企業間価格の算定にあたっては、関連会社間取引と比較可能な取引を行っている企業を見つけ出すことが必要である。この比較可能性を備えた企業を比較対象企業と呼ぶ。

関連条文　措令39の12⑥、⑦、⑧二

P.168、P.171

費用分担契約（CCA: Cost Contribution Arrangements）

特定の無形資産を開発する等の共通の目的を有する契約当事者(参加者）間で、その目的の達成のために必要な研究開発等の活動に要する費用を分担することを取り決め、当該研究開発等の活動から生じる新たな成果の持分を各参加者のそれぞれの分担額に応じて取得することとする契約をいう。その分担は、当該活動から生じる新たな成果によって各参加者において増加すると見込まれる収益又は減少すると見込まれる費用の各参加者の予測便益の合計額に対する割合によって決められる。

関連条文等　事務運営指針2-14

投下資本（Invested Capital）

投下資本つまり、営業活動に提供した資産は、次のように定義される。総資産から営業活動に直接関係しない資産（余剰資金や子会社等に対する出資金）を控除し、さらに、その金額に営業活動に直接関係する簿外資産（無体財産権の価値やリース資産の価値）を加える。ここから買掛金のような金利のつかない負債の金額を差し引いた額を投下資本とする。

P.183、P.184

独立価格比準法
（CUP method：Comparable Uncontrolled Price method）

特殊な関係にない売手と買手が、国外関連取引にかかわる棚卸資産と同種の棚卸資産を当該国外関連取引と取引段階、取引数量その他が同様の状況のもとで売買した取引の対価の額に相当する金額をもって当該国外関連取引の対価の額とする方法をいう。

関連条文　措法66の4②一イ

P.86、P.90、P.130、P.179

取引単位営業利益法
（TNMM：Transactional Net Margin Method）

法人が国外関連者に製品を販売する場合、その取引にかかわる棚卸資産と同種の棚卸資産を購入する第三者が当該製品の販売（国外関連者取引と取引段階、取引数量、その他の条件が同様の状況のもとで売買した場合）によって得られる営業利益と同様な営業利益率をもたらすような移転価格を独立企業間価格とみなす方法をいう。ここでは、当該製品に関わる取引単位の営業利益率が使用される。米国の営業利益比準法（CPM）は、取引単位でなく会社単位で比較する方法である。

関連条文　措令39の12⑧二および三

P.87、P.102、P.171

た行

対応的調整（Correlative Adjustment）

一方の租税条約締結国（米国）がその国の企業（現地子会社）に対し移転価格課税を行い、他方の締結国（日本）との相互協議の結果合意が成立し、他方の締結国がその国の企業（親会社）に対して当該合意に基づき減額更正を行う場合の更正を対応的調整と呼んでいる（租税条約）。

関連条文　租税条約（例：日米租税条約９②、租税条約実施特例法7、事務運営指針4-2および4-3

適正価格範囲（Arm's Length Range）

独立企業間価格を算定するに当たって、同程度に高い信頼性が認められる複数の比較対象データがある場合は、企業の実際の移転価格が1つの最適価格と比較されるのではなく、その複数データによって決定された複数の適正価格の範囲、これを適正価格範囲と呼ぶ。適正価格範囲は幅によって構成され、採用した独立企業間価格決定方法を利用して移転価格の妥当性を検討する場合に、移転価格が適正価格範囲の中に入っていれば妥当と認められる。OECD ガイドラインにおいてもこの適正価格範囲（すなわち、「幅」をもって独立企業間価格とする概念）を認めている。ただし、日本の税務当局は事前確認を除き、幅の使用を認めない立場を採っている。

関連条文等　OECD ガイドライン ChapterⅢ A.7

独立企業間価格（Arm's Length Price）

「あるべき移転価格」を言う。移転価格税制のもとで規定する方法（独立価格比準法、再販売価格基準法、原価基準法等の方法等）により算定した移転価格。

関連条文　措法66の4①

P.212、P.229、P236

四分位範囲（Interquartile Range）

適正価格範囲（すなわち、「幅」をもって独立企業間価格とする概念）を算定する上で、広く一般的に採用されている統計的手法が四分位範囲と呼ばれるものである。四分位範囲とは、比較対象取引の数値を順番に並べ、上下25％を除外した100分位の25番目の数値から75番目の数値によって構成される「幅」をいい、この四分位範囲で構成される幅をもって適正価格範囲とされる。

P.172

相互協議（Mutual Agreement Procedure）

租税条約の一方の締結国の居住者は、一方または双方の締結国の措置によりその条約に適合しない課税を受けまたは受けるに至ると認めた場合には、両締結国の法令で定める救済手段とは別に、自己が居住者である締結国の権限ある当局に対しその事案について申立てをすることができる。その申立てを受けた締結国の権限ある当局は、その申立てに理由があると認めた場合には、その条約の規定に適合しない課税を回避するため、他方の締結国の権限ある当局と合意に達するようにする協議（租税条約）。

関連条文　措法66の4⑱

P.243

租税条約（Tax Treaty）

課税上の国際的ルールである二重課税の回避および脱税の防止に関する取決めをした2国間で結ぶ条約。租税条約は課税上の国際的ルールを実現するための各国の国内法に優先して適用される法律である。

関連条文　憲98

残余利益分割法（Residual Profit Split method）

利益分割法の適用に当たり、法人又は国外関連者が重要な無形資産を有する場合には、分割対象利益のうち重要な無形資産を有しない非関連者間取引において通常得られる利益に相当する金額を当該法人および国外関連者それぞれに配分し、当該配分した金額の残額を当該法人又は国外関連者が有する当該重要な無形資産の価値に応じて、合理的に配分する方法により独立企業間価格を算定する方法。

関連条文　措通66の4(4)-5

P.107

シークレット・コンパラブル（Secret Comparable）

課税庁が質問検査等により入手した類似の取引を行う第三者の情報から選定された比較対象取引をいう。課税庁は、選定した比較対象取引の相手先を、守秘義務を理由に、納税者に明らかにしないため、シークレット・コンパラブルと呼ばれる。

関連条文　措法66の4⑥および⑧

P.114、P.132

事前確認制度（APA : Advance Pricing Arrangement）

事前確認制度は、昭和62年に世界に先駆けてわが国が実施した制度であり、納税者が税務当局に申し出た独立企業間価格の算定方法等について、税務当局がその合理性を検証し確認を与えた場合には、納税者がその内容に基づき申告を行っている限り、移転価格課税を行わないというものである。事前確認制度には、一国のみの事前確認（ユニラテラルの事前確認）および相互協議を伴う二国間の事前確認（バイラテラルの事前確認）がある。通常、事前確認と言えば、バイラテラルの事前確認を意味している。

関連条文等　移転価格事務運営要領5章

P.249

国外関連者（Foreign Affiliated Person）

輸出・輸入取引に関係する海外子会社を移転価格税制では、国外関連者と呼ぶ。本邦の規定において国外関連者とは外国法人で日本法人との間にいずれか一方の法人が他方の法人の発行済株式の総数または出資金額の100分の50以上の株式の数または出資の金額を直接または間接に保有する関係その他実質的に支配関係にあるとみられる特殊な関係のあるものをいう。国によっては国外関連者の定義が異なる場合がある。

関連条文　措法66の4①

P.84、P.88、P.97、P.220

さ行

差異調整（Differences Adjustment）

あるべき移転価格（独立企業間価格）を算定するに当たって、国外関連取引と比較対象取引との間に、貿易条件、決済条件、取引条件、機能、リスク等において、取引価格または利益率に影響を与える差異が存在している場合には、その差異について調整を行い、比較可能性を確保することが要求される。この調整を差異調整という。

関連条文等　措令39の12⑥、⑦、⑧二、移転価格事務運営要領3-1

P.215、P.240

再販売価格基準法（RP method : Resale Price Method）

国外関連取引にかかわる棚卸資産の買手が特殊な関係にない者に対して当該棚卸資産を販売した対価の額から、通常の利潤額を控除して計算した金額をもって当該国外関連取引の対価の額とする方法をいう。

関連条文　措法66の4②一ロ、措令39の12⑥

P.86、P.93、P.130、P.163、P.179、P.161

機能分析（Functional Analysis）

国外関連者間取引の検討にあたり、各関連企業がそれぞれどのような機能を果たしているかを把握する作業である。試験研究、商品開発・設計、生産、販売等が移転価格において検討すべき主な機能である。ここでの機能分析は各々の機能を関連者間でどのように分担しているか分析し、それとともに事業の遂行上発生するリスクに対する責任分担も分析する。

関連条文　措令39の12⑥、⑦、⑧二

P.182

基本三法（Traditional Transaction Methods）

棚卸資産の販売または購入に関わる取引の移転価格算定方式の内、独立価格比準法、再販売価格基準法、原価基準法を基本三法と呼ぶ。役務提供等それ以外の取引についてもこれら基本三法と同等の方法によることとされている。基本三法が使用できない場合に限り、その他の方法を用いることができる。

関連条文　措法66の4②

P.130、P230

原価基準法（CP method : Cost Plus method）

国外関連者取引に係わる棚卸資産の売手の購入、製造その他の行為による取得の原価の額に、通常の利潤の額を加算して計算した金額をもって当該国外関連取引の額とする方法をいう。

関連条文　措法66の4②一ハ、措令39の12⑦

P.87、P.98、P.130、P.179

権限ある当局（Competent Authorities）

租税条約によって、その条約に規定する一定の事項につき処理する権限を与えられた者をいう。日本の場合は財務大臣またはその代理者とされている。移転価格税制の下で発生する二重課税排除のため行われる相互協議の当事者は、この「権限ある当局」がなる。

関連条文　措法66の4⑱

I．移転価格に関する基本用語

あ行

あるべき移転価格

本書では、輸出・輸入取引に関係する関係会社それぞれが適正な利益を確保できる親会社・海外子会社間の取引価格をあるべき移転価格と呼ぶ。移転価格税制の基本は、あるべき移転価格によった取引か否かである。移転価格税制では、このあるべき移転価格を独立企業間価格と呼ぶ。

P.72、P.76、P.84、P.108、P.132、P.178、P.181

移転価格（Transfer Price）

移転価格とは、親会社・海外子会社間の取引価格をいう。

税法上、第三者との取引は、問題とされない。つまり、親会社が第三者から仕入れる価格、海外子会社が第三者に販売する価格は、移転価格ではない。

P.72、P.154、P.177

移転価格算定方式（TPM：Transfer Pricing Methodology）

「あるべき移転価格」の算定方法をいう。

関連条文　措法66の4②

P.184

か行

グループ内役務提供（IGS: Intra Group Service）

本社機能の一環として行われる経営・財務・業務・事務管理上のグループ内役務提供をいう。

関連条文等　事務運営指針2-9

P.164、P.166

〈附録〉

移転価格と関税に関する基本用語集

[著者略歴]

村田守弘（むらた・もりひろ）
公認会計士・税理士
1969年、慶應義塾大学経済学部卒業。1970年、アーサーヤング東京事務所に入所。1999年、アーサーアンダーセン税務事務所代表に就任。KPMG税理士法人代表社員を経て、2006年、村田守弘会計事務所を開設。2006～08年まで公認会計士試験の試験委員を務める。2008年、青山学院大学大学院会計プロフェッション研究科客員教授。主な著書に『移転価格戦略ケース・スタディ』（中央経済社）、『弁護士のための租税法』（共著、千倉書房）ほか。

石川敏夫（いしかわ・としお）
税理士
1983年、立教大学経済学部卒業。大手会計事務所勤務を経て、1995年より、東京青山・青木・狛法律事務所 ベーカー&マッケンジー外国法事務弁護士事務所（外国法共同事業）に所属。移転価格税制関連の事案を含めて多くの税務争訟事案に関与。日本税務会計学会 経営部門委員。

柴田篤（しばた・あつし）
ジェトロ認定貿易アドバイザー、税理士、通関士有資格
早稲田大学大学院修了。日本水産株式会社、オランダ国際租税研究所IBFD、アーサーアンダーセン税務事務所を経て、柴田上田国際税務事務所 http://japan-jil.com/ を開設。貿易アドバイザー協会監事。

ものづくり日本の海外戦略
～関税と移転価格の波にもまれ～

2010年 9月30日　初版第1刷発行

著　者　村田守弘・石川敏夫・柴田篤

発行者　千倉成示

発行所　株式会社 千倉書房
〒104-0031 東京都中央区京橋2-4-12
TEL 03-3273-3931 ／ FAX 03-3273-7668
http://www.chikura.co.jp/

印刷・製本　藤原印刷株式会社

ISBN 978-4-8051-0960-1　C3034